# BWRW
# BLWYDDYN

## BETHAN WYN JONES

Gwasg
Gwynedd

*Argraffiad Cyntaf — Tachwedd 1997*

© Bethan Wyn Jones 1997
© lluniau: Islwyn Williams 1997


ISBN 0 86074 141 9

Llun y clawr:
Llygoden Pengron Goch *(Clethrionomys glareolus)*

*Cyhoeddwyd ac argraffwyd
gan Wasg Gwynedd, Caernarfon*

I DAD

A'M DYSGODD I WERTHFAWROGI NATUR

AC ER COF ANNWYL

AM MAM

# RHAGAIR

Fedra i ddim honni 'mod i'n arbenigwr ar fyd natur, a dydi'r gyfrol hon yn ddim amgenach nag ymgais i gofnodi'r 'pethau bach dibwys' y sylwais i arnyn nhw yn ystod 1996. Mae 'arogleuon blodau dan y gwlith', a gweld natur yn newid ei mantell o fis i fis yn destun rhyfeddod i mi. Rydw i'n gobeithio 'mod i wedi llwyddo i gyfleu rhywfaint o'r hud sydd i'w weld yn ddyddiol o'n cwmpas.

Mae sawl un wedi bod yn gefn i mi wrth baratoi'r gyfrol. Mi garwn ddiolch yn gynnes i Dafydd Davies am ddarllen y deipysgrif a gwneud sawl awgrym adeiladol, ac i Goronwy Wynne am ei gefnogaeth ac am aml sgwrs fuddiol. Yn ogystal, diolch i William Jones, Keith Lewis, Tegwyn Harris a Huw John Hughes am fy ngoleuo ar amryw o'r rhywogaethau. Mae fy niolch yn fawr hefyd i Islwyn Williams am ei luniau byw, cywrain o'r creaduriaid a'r planhigion a welais yn ystod y flwyddyn.

Yn bennaf, mae fy niolch diffuant i Wasg Gwynedd am ddangos digon o ffydd ynof i gyhoeddi'r dyddiadur, ac am eu gwaith glân, trylwyr, gofalus.

# IONAWR

TITW TOMOS LAS
*Parus caeruleus*

*Dydd Calan, Dydd Llun, 1 Ionawr.*
Fe gychwynnodd heddiw'n gynnar —
ychydig funudau wedi hanner nos gan fy mod
i wedi treulio'r noson yng nghwmni cyfeillion yn
croesawu'r flwyddyn newydd. Wrth droi tuag adref roedd
hi'n smwc bwrw glaw mân ac yn dadmer yn brysur.

Enwyd Ionawr ar ôl y duw Rhufeinig Ianws, y duw dauwynebog
wrth gwrs — un wyneb yn edrych yn ôl i'r gorffennol a'r llall yn
edrych ymlaen i'r dyfodol.

'Wyt Ionawr yn oer a'th farrug yn wyn,' meddai Eifion Wyn ond
fore heddiw, roedd wedi claearu cryn dipyn a'r eira wedi clirio,
heblaw am y cnwd oedd wedi hel ym môn y clawdd. 'Aros am fwy
i ddod ato fo,' meddai'r hen bobol. Tybed ydyn nhw'n dweud y
gwir?

Roedd y dŵr yn y cafn wedi dadmer cryn dipyn hefyd ac mi
lwyddais i godi darn mawr o rew gan adael digon o ddŵr glân, clir
i'r adar bach. Fe gafwyd ymwelwyr niferus heddiw eto — ac fe
ddaeth y titw mawr draw. Mae hwn yn aderyn smart hefo'r melyn
a'r du llachar yn tynnu sylw ato yn syth.

Ar ôl cinio, roeddwn i'n methu dallt pam roedd cyn lleied o adar
wedi glanio ar y wal i gael bwyd nes i mi ffendio fod Loti, cath y
Wern, yn swagro i fyny ac i lawr yr ardd. Wedi i mi gael gwared
arni hi daeth y cwsmeriaid arferol yn ôl at eu coed!

*Dydd Mawrth, 2 Ionawr*

Roedd yr eira wedi hen glirio erbyn i mi godi heddiw, ac wedi clirio'n rhyfeddol o'r mynyddoedd hefyd — dim ond yn yr hafnau roedd yr eira'n llechu. Wrth edrych ar y mynyddoedd fel hyn mae'n ddigon hawdd canfod ble mae'r erydu dros y canrifoedd wedi digwydd — yn yr union hafnau hyn. Fel mae'r rhew yn dadmer yn y gwanwyn, bydd yn hollti creigiau a cherrig ac yn eu sgubo nhw'n un afon i lawr y llethrau gan ddyfnhau'r hafnau fwyfwy.

Mi es am dro hir pnawn 'ma i lawr Lôn Capel ac ar hyd Lôn Ceint, a throi wedyn ar hyd y ffordd gefn i gyfeiriad Pentraeth. Roedd hi'n rhyfeddol o fwyn ar ôl yr holl dywydd garw. Roedd ôl tyrchod daear wedi codi ymhobman gan ochr y ffordd a'r adar yn rhyw ddechrau how-ganu ym mrigau'r coed. Ond yr hyn a'm synnodd i'n fwy na dim oedd pa mor glir oedd y dŵr yn y ffosydd a chnwd o dyfiant gwyrdd ar ei wyneb. Roedd ambell ddant y llew i'w weld yn ei flodau hefyd! Mi gerddais cyn belled â Thŷ Coch ac roedd hi'n werth mynd gan i mi glywed yr ydfrain yn hofran a'u galwad 'Craa-craa' cras uwchben.

*Dydd Mercher, 3 Ionawr*

Bore heulog braf ac ychydig o awel. Gan ei bod hi mor braf fore heddiw mi grwydrais i lawr i waelod yr ardd i weld a oedd yna ryw argoel o'r bylbiau a blennais i fis Hydref diwethaf. Llawenydd! Roedd nifer o bigau bach yn gwthio eu ffordd drwy'r pridd. Yr eirlysiau a'r saffrwm sydd fwyaf amlwg, ond mi gymer dipyn eto cyn y gwelaf ffrwyth fy llafur yn iawn.

Roeddwn i wedi clirio hen blanhigyn persli yn yr ardd uchaf, ac wedi ceisio hau'r hadau o'r hen dyfiant cyn ei fwrw i'r gornel gompost. Oedd, roedd yna nifer o blanhigion bach i'w gweld wedi egino yn y fan honno hefyd. Siawns na chaf rywfaint o bersli at yr haf. Mae gweld ôl fy llaw yn yr ardd yn rhoi bodlonrwydd mawr i mi. Nid fy mod i'n rhyw arddwraig o fri. Dydw i ddim — mae chwynnu'n waith rhy galed!

*Dydd Gwener, 5 Ionawr*

Diwrnod du, diflas ac yn tywallt y glaw, a dim awydd codi'r bore 'ma.

Fe ddaeth pedair llinos werdd i ben y wal i chwilio am fwyd. Mi fuasai'n dda gen i gael bwrdd adar go iawn ond mae'r darn o wal

sydd gen i yn gwneud y tro a chan fod y wal yn union gyferbyn
â sinc y gegin, mae gen i ddigon o gyfle i sylwi ar yr ymwelwyr!
Wn i ddim pam mae'r llinos werdd wedi'i henwi felly — mae mwy
o felyn nag o wyrdd arni hi. Fe fwytith o'r hosan gnau, ond mae'n
mynd yn gwffio'n reit aml rhyngddi a'r titw tomos las. Roedd yna
linos yn pigo'n brysur o'r hosan a dau ditw tomos yn trio cael eu
pig i mewn — ond doedd ganddyn nhw ddim gobaith. Rydw i wedi
sylwi y bydd y titw tomos yn pigo am hir iawn o'r hosan cyhyd â'i
fod o'n cael llonydd, ond os bydd o'n pigo bara o ben y wal, fe
gymer ddarn yr un faint â bara'r cymun a hedfan i ffwrdd i ryw
gornel ddistaw i'w fwyta. Ond bydd yr adar to yn aros yno i bigo'r
briwsion yn ddigon hapus ac yn aml iawn criw ohonyn nhw hefo'i
gilydd. Ond, och a gwae heddiw, glaniodd y dridws a diflannodd
pawb arall.

*Dydd Sadwrn, 6 Ionawr*
Bore oer, gwyntog ond sych. Roedd Yr Eifl i'w weld yn glir o ffenest
y gegin — arwydd sicr o law cyn nos. Diolch i'r drefn, mi ga i dynnu
trimins y 'Dolig i lawr heddiw. Dda gen i mo'u gweld nhw ar ôl
y Calan, ond does fiw i mi eu tynnu i lawr cyn yr Ystwyll am ei
fod yn anlwcus, meddai Elwyn. Mi fydda i'n lecio tynnu'r celyn
a'i luchio ar y tân. Rydw i wrth fy modd yn gwrando arno'n clecian
a gweld y fflamau'n rhedeg ar hyd y coesyn a'r dail — yn union
fel tanio ffiws — y fflamau'n tanio'n fawr ac yn llachar am amser
byr ac yna'n marw'n gyflym.
    Mae'n rhaid cael gwared ar y goeden heddiw hefyd. Fel arfer maen
nhw'n casglu hen goed 'Dolig draw tua twyni tywod Aberffraw er
mwyn atal effeithiau'r gwynt a'r ymwelwyr ar y twyni. Gobeithio
eu bod nhw'n casglu eleni eto. Pethau eraill y mae modd eu
hailgylchu erbyn hyn ydi'r cardiau 'Dolig. Mae siopau, fel rhai
Oxfam a Boots, yn arfer rhoi blychau casglu ar gyfer y cardiau.

*Dydd Sul, 7 Ionawr*
Diwrnod sych a chymharol glaear. Mi sylwais fod y dydd wedi
dechrau ymestyn heddiw. Roedd yn dal yn weddol olau tua phump
y pnawn.

                    'Awr fawr Galan,
                    Dwy Ŵyl Ifan,
                    Tair Ŵyl Fair.'

Dyna a ddywedai Mam am y dydd 'yn mystyn', gan gyfeirio at yr Hen Galan ar y trydydd ar ddeg. Awr o olau ychwanegol rhwng yr unfed ar hugain o Ragfyr a'r trydydd ar ddeg o Ionawr. Awr arall wedyn erbyn canol y mis bach ac awr ymhellach erbyn y trydydd ar ddeg o Fawrth — yr hen Fawrth. Mae hyn siŵr o fod yn wir — cyhyd â'i bod yn noson glir!

### Dydd Llun, 8 Ionawr

Diwrnod stormus, a'r gwynt a'r glaw yn chwipio'n ddidrugaredd drwy'r bore. Roedd y gwynt yn y glaw — yn rhuthro'n wyllt o'r De-orllewin a'r defaid i gyd wedi sefyll yn rhes â'u cefnau at y clawdd. Ond arafodd y storm ryw ychydig ar ôl cinio a buan iawn yr aeth y defaid ati i bori unwaith eto. Rhaid bod gormod o wynt a glaw i'r adar ddod at y wal; doedd dim un ar gyfyl y lle y bore 'ma.

### Dydd Mawrth, 9 Ionawr

Diwrnod stormus. Gwynt a glaw oer. Moddiana dechrau'r flwyddyn yn y sgoldy am chwech heno. Wyth ohonom ni oedd 'na. Mae'n rhaid fy mod i'n mynd yn hen: rydw i'n cofio amser pan oedd y lle'n llawn.

### Dydd Mercher, 10 Ionawr

Roedd yn smwc bwrw yn y bore ond fe gododd yn braf ar ôl cinio, a chan ei bod yn glaear dyma fynd am sgawt rownd yr ardd. Roedd un eirlys fechan, dlos wedi blodeuo ac yn ernes o'r gwanwyn.

Mae'n anarferol i flodau flodeuo yng nghanol y gaeaf. Allan o tua dwy fil o rywogaethau sy'n gynhenid i Ynysoedd Prydain rhyw ugain yn unig sy'n blodeuo yng nghanol y gaeaf. Mae'r blodau'n cau dros nos, ac ar ôl agor drannoeth, mae'r neithdar yn ymddangos wrth fôn y petalau ac ambell bryf sydd o gwmpas yn gynnar yn cael eu denu at y neithdar ac wedyn yn peillio'r eirlys. Mae yna fanteision ac anfanteision i flodeuo'n gynnar yn y flwyddyn. Mantais ydi nad oes cystadleuaeth am le gan blanhigion eraill. Os mai planhigyn sy'n blodeuo ganol haf ydych chi, mae'n rhaid gwthio heibio i sawl planhigyn arall er mwyn cael gweld golau dydd, heb sôn am gael lle i flodeuo. Ond gan mai dod allan yng nghanol gaeaf mae'r eirlys, mae ganddi ddigon o le iddi hi ei hun. Problem iddi, fodd bynnag, ydi'r ffaith nad oes llawer o bryfed o gwmpas ac felly, yn aml, mae'n ddibynnol ar hunanbeillio. Gwendid hunanbeillio ydi fod yr ail genhedlaeth yn union fel yr un flaenorol a dim cyfle i gael amrywiaeth yn y rhywogaeth. Anhawster arall ydi goresgyn y tywydd oer. Pam nad ydi rhew yn eu difetha nhw'n llwyr? Oes ganddyn nhw ryw fath o wrthrewydd sy'n eu galluogi i oresgyn y tywydd oer?

Beth bynnag ydi'r rheswm, mi fydda i'n falch iawn o weld lili fach y gwanwyn.

*Dydd Iau, 11 Ionawr*
Diwrnod oer a gwlyb a diflas.

Roeddwn i wedi sylwi fod o leiaf ddau bâr o ditw tomos las yn dod i fwyta o'r hosan gnau a bod pâr arall o gwmpas, a'i bod hi'n mynd yn ffrae'n reit aml rhyngddyn nhw. Felly, dyma benderfynu prynu mwy o sanau i weld beth fyddai'n digwydd. Gosodais bedair hosan ac eistedd yn ôl yn gyfforddus i weld y sioe. Roeddwn i'n iawn. Serch bod yna bedair hosan maen nhw'n dal i ffraeo! Yn ogystal, mae na bâr o ditw mawr, pedair llinos werdd, haid o adar to a robin goch. Roedd yna robin goch o gwmpas y llynedd hefyd, ond nid yr un ydi'r aderyn hwn. Roedd y robin hwnnw'n fwy aderyn a mymryn o las gan ochr ei frest goch, ac yn ddigon hyderus i ddod i swnian am fwyd. Ond mae'r robin hwn yn llawer mwy swil. Efallai mai iâr ydi hi. Fe fyddai hynny'n egluro'r gwyleidd-dra!

*Dydd Sadwrn, 13 Ionawr*
'Yr Hen Galan' yn ôl yr hen bobl ac, o'r dyddiad hwn, fe allwn ddisgwyl i'r tywydd wella. Nid ei bod yn arbennig o oer rwan — mae'n anarferol o glaear mewn gwirionedd. Mae'n bosib mai dyna sydd i'w gyfri am y nifer o dwmpathau tyrchod daear sydd i'w gweld.

Mae'r twrch yn anifail rhyfeddol. Fe all y ffwr sydd arno orwedd y naill ffordd neu'r llall fel ei fod o'n gallu symud yn ôl ac ymlaen yn ei dwnnel heb i'r blew sydd ar ei gorff ddal yn ochrau'r twnnel. Mae i bob twrch, neu wahadden, ei filltir sgwâr ei hun sy'n golygu tua 550 llathen sgwar ac fe all hyd y tynelau wahaniaethu rhwng tua 300-650 troedfedd. Mae'r twrch yn bwydo drwy gasglu llyngyrod daear, pryfetach ac anifeiliaid diasgwrn cefn eraill sy'n disgyn i'r twnnel. Pan edrychwyd ar gynnwys stumog un twrch fe gafwyd hyd i dros fil o forgrug!

### Dydd Sul, 14 Ionawr
Fe laniodd dryw bach yn y landar y tu allan i ffenest yr ystafell ymolchi heddiw. Dim ond wrth ei weld o ar goll yng ngwacter y landar y sylweddolais pa mor fach a thwt ydi o mewn gwirionedd. Mae ei weld o'n hopian o gwmpas â'i gynffon bwt ar i fyny yn olygfa werth chweil. Roedd yna bâr yn nythu o gwmpas y tŷ y llynedd, ond mi fethais yn glir â darganfod ymhle roedd eu nyth.

### Dydd Llun, 15 Ionawr
Mae siglen fraith o gwmpas y lle. Mae'n dlws hefo'i phlu du a gwyn ac yn rhyw hanner hercian, hanner rhedeg i bobman. Ddaw hon ddim i ben y wal. Rhyw aros y mae hi i mi ysgwyd y lliain bwrdd allan ac wedyn mae'n brysur yn rhedeg ar ôl pob briwsionyn, a hynny tra mae'r gwynt o'r De-orllewin yn sgubo drwy'r giât ac ar draws y buarth. Wna hi ddim rhuthro i hedfan pan fydda i'n tynnu'r car allan chwaith, dim ond dal ati i redeg yn fân ac yn fuan i un ochr.

### Dydd Mawrth, 16 Ionawr
Mynd yn y car roeddwn i pan groesodd petrisen y ffordd o'm blaen a rhuthro i'r brwgaets ar ochr y ffordd i guddio. Mae ei chuddliw yn berffaith — y rhesi brown a brown golau yn ymdoddi i'r cefndir yn llwyr. Oni bai ei bod yn symud, prin y gallech ddweud ei bod ym môn y gwrych o gwbl. Mae sawl un i'w gweld o gwmpas y Plas ac ar y ffordd o Bentraeth i Fangor hefyd wrth basio tir Plas Gwyn. Yr un math o gynefin sydd yn y ddau le — cyfar o goed i roi lloches 'ddyn nhw, a thir amaethyddol da yn ei ymyl.

### Dydd Gwener, 19 Ionawr
Mae'r eiddew yn amlwg ar y gwrychoedd y dyddiau yma gan ei bod hi mor llwm. Mi fydda i'n hoffi defnyddio'r eiddew (iorwg) wrth drefnu blodau. Mae o'n un o'r ychydig blanhigion y galla i ei gasglu heb deimlo 'mod i'n rheibio cefn gwlad. Tyfu'n uniongyrchol o'r coesyn mae'r dail a'r gwreiddiau, a dydi'r goes ddim yn sefyll yn syth i fyny fel y rhan fwyaf o blanhigion ond yn cordeddu ar hyd ac ar led gan fachu ym mhopeth y caiff afael arno. Dyna pam mae'r gallu i ollwng gwreiddiau mewn unrhyw le mor bwysig i'r planhigyn. Dydi o ddim i'w weld yn gwneud drwg i goed chwaith, ac felly mae'r cadwraethwyr yn ddigon hapus i adael iddo dyfu ar goed fel y dderwen. Roedd y Rhufeiniaid a'r Groegiaid yn

ei ddefnyddio mewn seremonïau i addurno tariannau'r milwyr ac i'w roi ar dalcen y beirdd. Yn ystod y cyfnod rhamantaidd fe'i cysylltwyd â hen adfeilion trist, a dyna ddechrau'r arfer o edrych arno fel arwydd o unigrwydd. Mae yna gred hefyd ei fod yn cadw ysbrydion drwg i ffwrdd.

*Dydd Sul, 21 Ionawr*
Rydw i'n lecio gweld celynnen yn yr ardd. Mae'n braf gweld ei lliw gwyrdd-ddu yn erbyn llymder y byd o'i chwmpas. Mwya'r piti, coeden wrywaidd sydd gen i ac felly dydw i byth yn cael aeron coch arni. Yn wahanol i'r rhan fwyaf o goed sydd â rhannau benywaidd (y stigma), a rhannau gwrywaidd (y brigerau) ar yr un goeden, mae gofyn cael dwy gelynnen, un hefo'r rhan fenywaidd a'r llall hefo'r rhan wrywaidd. Dyma ffordd bendant o sicrhau croesbeilliad. Y goeden fenywaidd ydi'r yr un sy'n dal y stigma, ac mae'r blodau bach gwyn digon disylw yn troi'n aeron coch hardd sy'n nodweddiadol o'r goeden osgeiddig hon. Does yna ddim un ffordd o sicrhau coeden fenywaidd yn yr ardd chwaith; yr unig ffordd ydi plannu nifer helaeth o aeron ac aros iddyn nhw dyfu, yn y gobaith y bydd rhai ohonyn nhw'n goed benywaidd ac yn datblygu'r aeron coch.

*Dydd Iau, 25 Ionawr*
Mynd i siopa i Fangor heddiw ac ar fy ffordd sylwi fod cynffonnau ŵyn bach wedi agor yn y gwrych gan ochr y ffordd rhwng y Coleg Normal a Bangor Uchaf. Roedden nhw wedi agor ar y lôn i Landudno rhyw ddeg diwrnod yn ôl. Rydw i wedi sylwi fod coed a blodau'n tueddu i flaguro a blodeuo ynghynt yng nghyffiniau Llandudno nag ar Ynys Môn. Ond mae yna fwy o gysgod y gwynt yno ac maen nhw hefyd yn cael mwy o haul. Mae'r Gogarth yn aml i'w weld mewn cylch o heulwen pan fo'n ddigon tywyll yma. Rhan wrywaidd y planhigyn ydi'r cynffonnau ac maen nhw'n dechrau datblygu yn frown-felyn yn yr hydref ond yn ffrwydro'n hufennog felyn yn gynnar yn y flwyddyn. O edrych yn ofalus ar bob cynffon yn ei thro, mae modd gweld cymaint â chant o flodau bach yn disgyn yn osgeiddig yn yr un gynffon honno. O edrych yn agosach fyth fe welwch fod pob un o'r pennau bach yn cynnwys un bract ac wyth briger — y brigerau eto'n pwyntio tuag at y llawr er mwyn

galluogi'r paill i ddisgyn yn gawodydd a'i gario gan y gwynt.

Mae'r rhan fenywaidd yn llawer mwy disylw — rhyw stwmp bach gwyrdd ac ychydig o flewiach coch ar ei flaen. Y rhain ydi'r stigma sy'n derbyn y paill. Ond mae pob collen yn hynod o ofalus i osgoi hunanbeilliad drwy ofalu fod y paill wedi aeddfedu a gwasgaru ymhell cyn i'r rhan fenywaidd fod yn barod ar yr un goeden. Diolch amdanyn nhw. Unwaith eto maen nhw'n ernes o'r gwanwyn.

### Dydd Gwener, 26 Ionawr

Diwrnod dieflig o oer eto ac yn bwrw eira. Daeth tair bronfraith i ben y wal i chwilio am fwyd. Ddaw y fronfraith ddim yma'n aml; mae'n well ganddi bigo ei bwyd o'r border blodau ac mi fydda i'n ei gweld hi'n aml yn pigo ar hyd y cae er mor dda ydi ei chuddliw hi. Weithiau mae'n anodd iawn dweud y gwahaniaeth rhyngddi hi a deilen grin.

Mae'r fronfraith yn perthyn i'r un teulu â'r robin goch, yr eos a'r fwyalchen. Mae ei gweld yn dawnsio ar y lawnt wrth chwilio am ei bwyd yn hwyl garw. Unwaith y caiff hi afael ar lyngyren ddaear, fe ddechreua dynnu a thynnu a neidio yn ôl ac ymlaen nes cael y creadur bach yn glir o'r pridd. Fe fwytith bob math o bryfetach

BRONFRAITH
*Turdus philomelos*

ac mae'n arbennig o hoff o falwod. Mae'n ddigon hawdd gweld ble mae hi wedi bod yn bwyta malwod gan ei bod fel arfer yn defnyddio carreg go fawr fel eingion y gof i chwalu'r gragen yn dipiau mân.

*Dydd Sadwrn, 27 Ionawr*
Pen-blwydd Guto'n ddeunaw oed.

Roedd pobman yn wyn pan godais i fore heddiw, a difyr iawn oedd gweld ôl traed y gwahanol anifeiliaid yn yr eira. Roedd yna gi neu ddau, a sawl cath wedi bod heibio ymhell cyn i mi godi. Fe fu tipyn o fynd a dod gan yr adar hefyd — rhai mân a rhai mwy.

Ar adeg fel hyn mae'n bleser gweld y rhedyn yn y cloddiau. Mae tafod yr hydd yn amlwg iawn oherwydd y lliw llachar gwyrdd sydd arno. Rydw i'n cofio mai un o'r gwersi Bioleg cyntaf ges i yn yr ysgol uwchradd oedd am y rhedyn a chlywed fod y dail yn rowlio eu hunain i fyny o flaen y ddeilen tuag at i lawr, ac nad oedd yna yr un planhigyn arall yn plygu'r dail o'r tu fewn i'r blagur yn union yr un fath â'r rhedyn. *'Circinnate vernation'* oedd y term crand a ddefnyddiodd yr athrawes ac rydw i yn ei gofio byth. Ddylai rhywun ddim defnyddio'r term 'deilen' ar y tyfiant gwyrdd chwaith — 'ffrond' ydi'r term cywir.

Mae'r rhedyn yn perthyn i hen, hen grŵp o blanhigion sydd wedi byw ar y ddaear yma ers o leiaf 400 miliwn o flynyddoedd. Roedden nhw yma cyn y coed a'r planhigion blodeuog, a chyn i adar a mamaliaid ymddangos ar y blaned hon. Dydi'r rhedyn ddim yn blodeuo ond yn datblygu darnau brown o dan y ffrond. Oddi mewn i'r darnau brown hyn, sy'n teimlo fel papur reis, mae'r sborau'n datblygu. Rhai hir brown o boptu canol y ffrond ydi'r *sorus* yn nhafod yr hydd, ac o fewn y *sorus* yma mae'r *sporangium* yn tyfu, sydd, yn ei dro yn gwneud y sborau. O'r sborau hyn bydd y planhigyn newydd yn tyfu.

*Dydd Sul, 28 Ionawr*
Diwrnod oer gynddeiriog arall a gwynt y dwyrain — 'gwynt traed y meirw' — yn dal i chwythu'n filain. Mae'r hen robin bach llwydaidd ei olwg wedi diflannu o'r ardd ac mae un arall wedi ymddangos sy'n llawer mwy lliwgar a chryn dipyn mwy powld. Fe ddylai'r robinod fod yn paru erbyn hyn, ond hyd yma un robin ar ei ben ei hun a welais i.

*Dydd Llun, 29 Ionawr*

Diwrnod oer arall, ond dim cymaint o wynt. Fe ddaeth y deryn du i bigo briwsion o ben y wal heddiw. Fo ydi'r unig un sy'n feistr ar y drudwy, a fuodd o ddim tramiad yn eu hel nhw i ffwrdd er mwyn cael y cyfan iddo'i hun. Aderyn hardd ydi o hefyd hefo'r sglein ar ei wisg ddu a'r pig mor llachar o felyn. Mi fydda i wrth fy modd yn cael cwmni hwn ar nos o haf wrth iddo sefyll yn dalsyth ar ben polyn a chanu ei hochr hi, tra bydda i'n chwynnu'r ardd. Llinellau T. Llew Jones i'r Ceiliog Du o Goed-y-bryn sy'n dod i'r cof:

'Dyry ei alaw lawen
Geriwb yr allt o'i gaer bren;
Teilwng o'r llwyfan talaf
Ei gerdd o, Garuso'r haf.'

*Dydd Mawrth, 30 Ionawr*

Diwrnod oer ond fe ddaeth yr haul allan tua chanol y bore. Mynd draw i Gaernarfon ar ôl cinio a sylwi fod yr eithin wedi blodeuo. Yng Nghymru y rhai mwyaf cyffredin ydi eithin y mynydd, yr eithin cyffredin, sydd i'w weld ar rostir ac yn tyfu ar ochr y ffordd, a'r eithin mân. Mae yna ddywediad fel hyn am yr eithin: 'Pan fo'r eithin yn ei flodau, mae'n amser cusanu.'

Yr hyn nad ydi'r rhan fwyaf o bobl yn ei sylweddoli ydi fod yna ryw rywogaeth neu'i gilydd o'r eithin yn ei blodau drwy gydol y flwyddyn!

*Dydd Mercher, 31 Ionawr*

Treulio'r dydd yn Ysbyty Gwynedd a rhyfeddu at harddwch y mynyddoedd. Mae'n dal yn rhew ac yn eira ond yn cynhesu'n raddol. Ar adegau fel hyn, ac yn enwedig pan fo'r gwynt yn chwipio, mae'n dda iawn i adar mân ac anifeiliaid bach hefyd gael cysgod y gwrych a'r cloddiau. Mae rhai creaduriaid fel y gwningen, llygod y coed a'r fwyalchen naill ai'n byw yn y gwrych neu'n agos at y gwrych ac yn ei ddefnyddio fel lloches ac fel pantri i gael bwyd. Bydd rhai eraill, fel y llwynog a'r carlwm, yn defnyddio gwrychoedd a chloddiau fel priffyrdd i redeg yn eu cysgod a symud o un cynefin i'r llall yn ddiogel. Mae'r wiwer a'r tylluanod yn defnyddio'r gwrychoedd i symud o ddiogelwch cyfar o goed i fan arall i hela eu bwyd.

# CHWEFROR

TYLLUAN FRECH
*Strix aluco*

*Dydd Iau, 1 Chwefror*
Roedd trwch o farrug ar y car
fore heddiw, ond fe wnaeth
ddiwrnod heulog er ei bod
yn dal yn oer, a'r adar i'w
clywed yn trydar y pnawn
'ma. Roedd yr haul yn
machlud yn belen goch
yr ochr bellaf i Goed
Gylched heno — arwydd fod
y dydd yn ymestyn. Ar droad y rhod,
os bydd yn ddiwrnod clir, fe fydd yr haul yn suddo ar ochr Coed
Gylched ond erbyn hyn mae wedi symud gryn dipyn ar hyd cae
Hendre Hywel ar y gorwel, a wir roedd yn olau am hanner awr wedi
pump heno.

> 'Byr yw dydd a dyddiau Chwefror,
> Cynt y dêl yr hwyr na'r wawr:
> Chwyth y crynddail hyd y cwmwl,
> Chwyth y ceinciau hyd y llawr.'

*Dydd Gwener, 2 Chwefror*
Bore digon du, ond fe gododd y cymylau tua chanol y bore. Daeth
pioden i fwyta o ben y wal: roedd ei phlu'n eithriadol o lachar. Mae
llyfnder ei phlu a'r sglein sydd arno'n odidog, ac mae'r plu gwyn

yn WYN! Nid yn aml y bydd hon yn glanio ar ben y wal i chwilio am friwsion, er ei bod i'w gweld o gwmpas y cae a'r ardd yn ddigon aml. Mae'n bwyta pob math o anifeiliaid bach a mawr, felly mae'n rhaid mai'r rhew a'r barrug sydd wedi ei gorfodi i ddod i chwilio am friwsion.

### Dydd Sadwrn, 3 Chwefror
Bore braf ond oer. Mynd draw i Golwyn i briodas Nerys a Gwyn ac fe gafwyd haul ar y fodrwy! Wrth ddod adref, tua deg y nos a hithau'n noson serog a'r lleuad yn llawn, fe lithrodd tylluan ar draws y ffordd o flaen y car. Rydw i'n arfer gweld y dylluan wen yn hedfan yn yr ardal, ond nid tylluan wen mo hon. Roedd hon yn hedfan yn araf, osgeiddig ac yn dilyn ffordd drol hefo coed uchel yn tyfu o boptu iddi. Rydw i braidd yn siŵr mai'r dylluan frech oedd hi, er mai dim ond cip a gefais arni yng ngolau'r car. Llygod a llyg a mamaliaid bychain ydi ei bwyd hi.

### Dydd Sul, 4 Chwefror
Diwrnod oer arall ond yn sych a chlir. Roedd y mynyddoedd i'w gweld yn glir oddi wrth y capel heddiw: mae'n siŵr o law erbyn 'fory. Galw heibio mynwent Soar yn y pnawn i weld beddau'r teulu. Roedd y gwair wedi ei dorri o gwmpas y beddau yn hynod o daclus ond yn y pen pellaf, lle nad oes beddau, roedd yn tyfu'n wyllt. Roeddwn i'n falch iawn o weld cacamwci yno. Dyna oedden ni'n ei alw pan oedden ni'n blant, ac wrth ein bodd yn lluchio'r pennau pigog at ein gilydd er mwyn iddyn nhw lynu wrth y siwmperi gwlân. Mae 'na enwau tlysach ar y planhigyn hwn. Y cyngaf bychan ydi un. Fe fydd yn blodeuo yn ystod yr haf, rhywdro rhwng Gorffennaf a Medi fel arfer, a blodau piws digon tlws arno. Ond yr hyn sy'n arbennig am y planhigyn ydi'r ffrwyth pigog sy'n glynu ym mhob dim. Dyfais i wasgaru'r had ydi'r pen o fractau sy'n bachu mewn gwlân a ffwr anifeiliaid. Wrth i'r ddafad bori fe lyna'r cacamwci yn ei gwlân a chael ei gario am lathenni, neu filltiroedd hyd yn oed, cyn i'r ddafad benderfynu bod yn rhaid iddi gael gwared â'r lwmpyn bach pigog. Wedyn fe fydd yn rhwbio yn erbyn clawdd neu wrych ac wrth i'r cacamwci syrthio i'r llawr mewn lle newydd mae cyfle i'r had egino yn y ddaear.

## Dydd Mawrth, 6 Chwefror

Roedd y byd i gyd yn wyn fore heddiw — trwch o eira ar frigau'r coed a'r adar mân yn eu gwaith yn glanio ar frigyn. Pobman mor ogoneddus o wyn a glân a llonydd. Serch hynny 'pharodd o fawr ddim gan ei bod yn dadmer bron drwy'r dydd. Ond mae'n wahanol iawn yng ngweddill Cymru. Trwch o eira ymhobman bron a'r ysgolion wedi cau mewn sawl man.

## Dydd Mercher, 7 Chwefror

Yma, roedd y rhan fwyaf o'r eira wedi mynd erbyn heddiw ond mae sawl rhan o Gymru yn dal dan drwch ohono a llawer o gartrefi heb drydan. Daeth tair ji-binc i'r ardd i chwilio am fwyd. Hen aderyn bach annwyl ydi'r ji-binc. Does yna ddim yn ymffrostgar ynddo ac mae'r lliwiau coch a glas meddal sydd i'r plu yn cynhesu calon rhywun.

## Dydd Iau, 8 Chwefror

Roedd wedi pluo rhywfaint o eira yn ystod y nos .'Odi' ydi gair Elwyn arno ac mae'n enw da. Mae'n glir i'r Eifl heddiw a thrwch o eira'n ei orchuddio. Roedd wedi rhewi dros nos ond roedd yn gynnes braf yn yr haul bnawn heddiw, a dyma fynd am dro cyn belled ag Eglwys Llanffinan. Syndod a phleser oedd gweld briallen fach wedi agor ym môn y clawdd. Mae Lôn Capel yn gysgodol, fodd bynnag, ac mae'r darn o'r clawdd lle cefais i hyd i'r friallen yn wynebu'r De ac yn cael cryn dipyn o haul drwy'r dydd — mae'n siŵr mai dyma'r rheswm ei bod wedi blodeuo mor gynnar. Roedd pedwar blodyn wedi agor ac amryw eto i ddod. Roedd pum petal melyn golau a'r canol yn lliw oren. Mae gwaelod y petalau yn codi o diwb hir, ac yng nghanol y tiwb mae pen y stigma. 'Pen pin' ydi'r term ar y friallen hon i'w gwahaniaethu oddi wrth yr un arall sydd â'r antherau yn y golwg (ond yn is i lawr) yng nghanol y blodyn ac a elwir briallen llygad siobyn. Dyfais ydi hon gan y friallen i sicrhau croesbeilliad.

## Dydd Gwener, 9 Chwefror

Roedd yr eira wedi clirio'n llwyr fore heddiw am ei bod wedi glawio yn ystod y nos. Gwyntoedd cryfion yn chwythu o'r De ac ambell gawod go drom. Mynd am dro i lawr y lôn a gweld dail pidyn y gog yn gwthio'u ffordd o'r ddaear. Roedd y rhan fwyaf yn dal ac wedi eu rowlio'n dynn fel rhyw sigâr fawr, werdd, ond roedd ambell ddeilen wedi agor i roi'r ddeilen fawr, werdd sydd yr un siap â'r 'Spades' ar gardiau. Bob gwanwyn, fe fydd deilen arbennig o liw hufen golau yn tyfu allan o ganol y dail ac yn creu rhyw gaban bach cysgodol. Yng nghanol hwn mae canol tywyll fel pastwn bach piws-frown yn tyfu, a hwn sy'n gyfrifol am ddenu pryfed i beillio'r blodyn. Mae'r antherau a'r ofarïau yng ngwaelod y caban bach ac yn cael eu gwarchod gan flew. Unwaith mae'r pryfyn wedi cael ei ddenu gan yr arogl mae'n cael ei ddal yng ngwaelod y caban gan y blew. Wrth geisio dianc mae'n chwalu'r paill o'r antherau ac fe all y paill ddisgyn am ben yr ofarïau neu lynu wrth flew'r pryf a chael ei gario i blanhigyn arall. Ar ôl i'r paill gael eu chwalu, mae'r blew yn gwywo a'r pryf yn gallu dianc. Mae'n system ryfeddol o gymhleth a fedra i ddim ond dotio at glyfrwch pidyn y gog yn sicrhau fod peillio'n digwydd. Yn ddiweddarach yn y flwyddyn bydd y canol yn aeddfedu'n ffrwyth a'r dail yn gwywo ac yn disgyn gan adael clwstwr o aeron cochion, bychan. Pan oedden ni'n blant fe fydden ni'n cael ein siarsio i adael llonydd i'r rhain ar bob cyfri gan eu bod yn wenwynig dros ben.

*Dydd Sadwrn, 10 Chwefror*
Diwrnod gwyntog, cawod a heulwen bob yn ail. Mae gwahanol fathau o redyn ym môn y gwrych ac un o'r rhai sy'n harddu'r gwrychoedd a'r cloddiau ydi llawredynen y fagwyr. Enw hardd ar blanhigyn hardd. Dydi o ddim yn blanhigyn mawr ond mae ei liw gwyrdd dwfn yn cyfoethogi'r gwrych. Un ffrond hir sydd ganddo ond bod hon wedi ei rhannu yn y dull pluog (pinnate). O dan y ddeilen, mae'r sori'n ymddangos mewn clystyrau bach melyn o boptu'r canol, ac fe all fod tuag wyth ar hugain ohonyn nhw.

*Dydd Sul, 11 Chwefror*
Diwrnod heulog ond yn oer a gwyntog. Mae'n syndod faint o fylbiau sy'n gwthio eu pennau o'r pridd er gwaetha'r tywydd garw. Mae'r cennin Pedr yn ymestyn rhyw fodfedd neu ddwy uwchben y pridd, a'r tiwlips hefyd. Ym môn y clawdd mae dail y 'caraint gwyllt' yn ymddangos. Gorthyfail neu'r gegiden fenyw ydi'r enw cywir, ond caraint gwyllt fydden ni'n eu galw nhw pan oedden ni'n blant. Os oedd gan blentyn gwningen ddof fe âi allan i gasglu'r dail tua mis Mawrth gan fod y gwningen wrth ei bodd hefo nhw, ac mae eu siâp

yn ddigon tebyg i ddail moron, felly caraint gwyllt. Erbyn canol haf fe fydd yn llenwi'r lôn.

### Dydd Llun, 12 Chwefror

Gwynt a glaw dros nos, ond fe beidiodd y glaw tua naw y bore a daeth llygedyn o haul i'r golwg. Crwydro am dro ar hyd Lôn Ceint heddiw eto a sylwi fod yna glwstwr o ffwng yn tyfu ar foncyff coeden. Roedden nhw'n tyfu ar ben ei gilydd hefo'r coesyn yn dod allan o'r boncyff nes eu bod yn edrych fel nifer o silffoedd bychain. Lliw oren-frown oedd y pen, a'r goes yn frown tywyllach. Mae'r tagellau dan y pen yn oleuach — yn lliw oren-hufen. Y goes wydn felfedaidd ydi ei enw.

### Dydd Mawrth, 13 Chwefror

Diwrnod braf ond oer heddiw. Y gwynt wedi gostegu a'r adar yn trydar o'i hochr hi y bore 'ma. Mynd am dro o gwmpas y pentref a thorri drwy'r llwybr bach. Lled dau gae ydi'r llwybr ond mae'n torri congl o'r ffordd fawr i mi, ac mi fydda i'n hoffi croesi'r bont fach garreg sydd yng ngwaelod y cae a gweld y dŵr clir sy'n rhedeg yn y nant. O gwmpas yr afon fach mae darn o'r cae yn reit wlyb ac roedd pentwr o lygad y dydd wedi agor yno mewn cornel gysgodol. Dydi hi ddim yn anarferol i lygad y dydd flodeuo ym mis Ionawr chwaith ond y rhain ydi'r rhai cyntaf i mi eu gweld eleni.

LLYGAD Y DYDD
*Bellis perennis*

### Dydd Mercher, 14 Chwefror

Dydd Sain Folant a phen-blwydd Mam. Sylwais fore heddiw fod y saffrwm wedi ymddangos yn y twb blodau wrth dalcen y tŷ. Mae'r lliw aur yn llonni'r lle ac yn gweddu hefo'r eirlysiau. Diwrnod braf, heulog, gwanwynol ac mi es am dro ar ôl cinio heibio'r ysgol a thrwy'r Llwybr Newydd gan ochr Coed y Plas ac ar draws y caeau, a dod allan ar Lôn Llanbedr-goch yn ymyl Pen Fan Bellaf. Roedd cnwd o eirlysiau gwyllt yn tyfu dan y coed yng Nghoed y Plas ac yn dlws i'w rhyfeddu, 'oll yn eu gynau gwynion'. Roedd clust yr Iddew yn tyfu ar ffoncyff coeden yng nghanol y coed. Mae'n tyfu'n aml ar foncyff ywen. Yn wreiddiol, roedd hwn yn cael ei adnabod fel clust Jiwdas oherwydd y gred fod Jiwdas Iscariot wedi'i grogi ei hun wrth yr ywen ar ôl bradychu'r Iesu. Wn i ddim beth ydi'r eglurhad cywir ond mae'r ffwng ei hun yn ddigon tebyg i'r glust ddynol o ran maint a siâp. Roedd tua 3-4cm ar draws ac yn teimlo fel rwber — am ei fod yn wlyb, mae'n debyg. Pan fo wedi sychu, mae gryn dipyn yn llai ac yn fwytadwy. Mae'r Tsieineaid yn ystyried eu bod yn flasus a gwerthfawr dros ben ac yn eu ffermio ar hen foncyffion coed. Cerdded yn ôl ar hyd y lôn fawr a heibio cyfar o goed y byddwn i'n gyfarwydd iawn â nhw pan oeddwn i'n blentyn. Fe fyddai Dad yn mynd yno i nôl priciau pys i'r ardd yn y gwanwyn. Y gollen a ddefnyddiai bob amser, ac roeddwn i'n falch o weld fod digon yno heddiw hefyd.

Dan y coed yn gymysg â thwf aruthrol o eiddew roedd dail cwlwm yr asgwrn yn dechrau tyfu a'r blodau yn ogystal â'r dail wedi ymddangos. Mae Anti Maggie'n dweud ei bod hi'n cofio rhai yn gwneud powltris drwy ferwi'r dail a'u rhoi ar y croen a'i lapio hefo cadach glân. Os oedd rhywun wedi troi ei ffêr, er enghraifft, fe fyddai'r trwyth yn cael ei roi ar y ffêr ac, yn ôl pob sôn, fe fyddai gwellhad yn siŵr o ddilyn.

*Dydd Iau, 15 Chwefror*
Sylwi ym môn y clawdd fod dail llau'r offeiriad yn dechrau ymddangos. Gwyntoedd cryfion. Sôn ar y newyddion heno fod tancer olew y 'Sea Empress' wedi mynd ar y creigiau ar benrhyn y Santes Ann ger Aberdaugleddau. Mae'n cario tua 147,000 o dunelli o olew crai o Fôr y Gogledd ac mae 6,000 o dunelli wedi llifo i'r môr yn barod. Os na wneir rhywbeth yn sydyn fe fydd yna drychineb amgylcheddol tebyg i'r hyn a ddigwyddodd hefo'r 'Braer' oddi ar Ynysoedd Shetland yn 1993.

*Dydd Gwener, 16 Chwefror*
Mae'n dal i chwythu'n oer o gyfeiriad y Gogledd-orllewin. Clywed ar y newyddion fod pedwar tynfad yn ceisio dal y tancer rhag cael ei dinistrio'n llwyr. Yn ôl pob golwg mae'r sefyllfa'n llawer gwaeth nag yr ofnid ddoe, gydag Ynysoedd Sgogwm a Sgomer mewn peryg yn ogystal â'r tir mawr wrth i'r olew ledaenu ar y môr. Mae awyrennau yn arllwys cemegau i geisio gwasgaru'r olew ond, yn anffodus, dydi hyn chwaith ddim yn ddelfrydol gan fod y cemegau'n gwneud llawn cymaint os nad mwy o ddrwg i fywyd gwyllt na'r olew ei hun.

*Dydd Sadwrn, 17 Chwefror*
Y gwyntoedd yn dal yn gryf ond, yn ffodus i'r 'Sea Empress', o gyfeiriad y Gogledd-ddwyrain mae'r gwynt neu fe fyddai pethau'n llawer gwaeth. Dal i golli mae'r olew ac yn cael ei gario i lawr yr arfordir i gyfeiriad De Cymru. Y pryder amlwg ydi'r adar môr, adar fel gwylanod, pioden y môr, y pibydd coesgoch, y llurs a'r gwylog, ac wrth gwrs y morloi sy'n gymharol niferus oddi ar Ynys Sgomer. Os rhywbeth, mae mwy o adar ar Ynys Sgogwm na Sgomer, er bod llawer llai o sôn amdani. Golchwyd nifer o adar i'r lan yn barod naill ai'n farw neu'n rhy wan ac wedi eu gorchuddio â'r fath drwch o olew fel nad oes gobaith eu hachub.

*Dydd Sul, 18 Chwefror*
Oer eto a'r gwyntoedd cryfion yn parhau. Mae 'Ymerodres y Môr' yn dal ar y creigiau, a'r cyrff cadwraethol fel Cymdeithas Bywyd Gwyllt Dyfed a'r Gymdeithas Gwarchod Adar yn hallt eu beirniadaeth o'r arafwch wrth geisio'i symud. Rhaid i mi gytuno â nhw. Y gwir plaen ydi fod y criwiau sy'n ceisio symud y llong yn poeni mwy am y cargo nag am y bywyd gwyllt ac yn credu fod yr olew crai yn llawer pwysicach nag arfordir Penfro.

*Dydd Llun, 19 Chwefror*
Diwrnod dychrynllyd o oer — y gwynt o gyfeiriad y Gogledd-orllewin, a daeth yn gawod o eira yn y pnawn.
Gweld lluniau o'r 'Sea Empress' ar y teledu heno. Mae'r difrod sydd wedi ei wneud i'r arfordir yn anfesuradwy. Roedd gweld lluniau llygad myharen (rhywogaeth brin mae'n debyg) wedi eu gorchuddio mewn olew yn dorcalonnus. Mae'r effaith ar yr adar môr hefyd yn

ddifaol ac oherwydd bod Aberdaugleddau mor agos at Ynysoedd Sgogwm a Sgomer bydd adar sy'n cartrefu ar yr ynysoedd hyn yn siŵr o ddioddef. Yn ôl pob sôn roedd y tancer ar fin torri'n ddau heno. Os digwydd hynny fe fydd cannoedd o dunelli o olew crai yn arllwys i'r môr.

*Dydd Mawrth, 20 Chwefror*
Dydd Mawrth Crempog.

Wedi rhewi'n gorn neithiwr a'r gwynt cryf yn dal i chwythu'n ddidrugaredd. Bellach mae 50,000 o dunelli o olew wedi arllwys i'r môr. Mae hyn yn gyfystyr â 12 miliwn o alwyni o betrol! Gweld llun mulfran farw yn y papur newydd heddiw ac roedd meddwl am yr aderyn gosgeiddig hwn sydd, fel arfer, yn sefyll mor falch ar graig allan yn y môr, yn fwndel drewllyd o blu wedi eu gorchuddio â thriog du, anghynnes yn fy ngwylltio'n lân. Pryd y sylweddola'r llywodraeth fod yn rhaid mynnu bod gan danceri sy'n cario olew howld ddwbwl? Nid dyma'r unig beryg chwaith, mae'r llongau hyn yn glanhau eu howldiau allan yn y môr ac yn gollwng yr olew sbâr heb boeni dim ei fod yn cyrraedd y glannau ac yn difrodi'r bywyd gwyllt. Maen nhw wedi methu â chael y tancer yn rhydd ar y llanw uchel heno eto. Dydw i ddim yn credu y gallen nhw'n drefnu cyfarfod gweddi hefo criw o Efengylwyr!

*Dydd Mercher, 21 Chwefror*
Roedd yna glwstwr (tua 3,000) o'r seren fôr yn byw mewn pyllau ar lan y môr oddi ar arfordir Penfro. Yn anffodus, erbyn hyn, mae'r cyfan wedi eu dinistrio gan yr olew.

Bellach, llifodd 70,000 tunnell o'r howld. Mae yna bryder mawr am yr aderyn drycin Manaw. Ymfuda'r adar hyn i'r De dros y gaeaf ond maen nhw'n nythu ar Sgomer a thua'r amser hyn fe ddychwelant o'r môr mawr gan chwilio am eu tyllau ar yr ynys. Fe nythant mewn hen dyllau cwningod ar ben y clogwyni uwchben y môr. Gyda'r nos, yn ystod y tymor nythu, daw'r sŵn cwynfan mwyaf dychrynllyd o'r tynelau. Eu bwyd ydi crancod a physgod bach, a'r tebyg ydi y bydd y rheiny hefyd wedi cael eu difa gan yr olew.

## Dydd Iau, 22 Chwefror

Diwrnod distaw, heulog ac wedi cynhesu cryn dipyn.

Hwrê! O'r diwedd fe lwyddwyd i gael y tancer yn rhydd neithiwr ac i mewn i harbwr Aberdaugleddau. Ond mae'r olew yn dal i arllwys o'i howld. Erbyn hyn mae yna drwch o olew yn llithro ar wyneb y môr i gyfeiriad Penrhyn Gŵyr ac i fyny'r arfordir heibio Sgogwm a Sgomer i gyfeiriad Ynys Dewi a thu hwnt wedyn i gyfeiriad Gwales.

Mae'r frân goesgoch yn nythu ar Ynys Dewi — un o'i chadarnleoedd yn Ynysoedd Prydain. Ar Ynys Gwales mae'r hugan yn ffynnu, a dyma'r unig le yng Nghymru lle maen nhw'n nythu. Ceir tua 30,000 yn nythu yno fel rheol. Tybed faint fydd yna eleni ar ôl y gyflafan? O gwmpas Sgomer mae'r unig warchodfa forol yng Nghymru ac yn ogystal â bod yn lloches a ffynhonnell bwyd i'r morloi a'r adar, mae hefyd yn gynefin i'r ysbwng, anemoni'r môr a'r cwrel. Yn uwch i fyny, ym Mae Ceredigion, ceir cymuned o tua chant o ddolffiniaid — y rhain hefyd mewn peryg.

## Dydd Gwener, 23 Chwefror

Pen-blwydd Ger.

Diwrnod du bore 'ma, gwynt a glaw. Ond fe arafodd y glaw ar ôl cinio ac fe gododd yn braf erbyn amser nôl y plant o'r ysgol. Mi synnais weld dail yn dechrau agor ar y ddraenen wen mewn darn cysgodol o'r gwrych. Dyma arwydd pendant ei bod yn cynhesu a'r gwanwyn ar ei ffordd.

Gwyntoedd cryfion o gyfeiriad y Gorllewin sydd yna oddi ar arfordir Penfro ac mae hwnnw'n gyrru'r olew nid yn unig ar draethau Cymru ond hefyd ar arfordir gogleddol Dyfnaint. Cofnododd Ymddiriedolaeth Bywyd Gwyllt Dyfed dros 1,000 o adar wedi eu gorchuddio ag olew, rhai yn farw ac eraill yn cael triniaeth i geisio'u glanhau.

## Dydd Sadwrn, 24 Chwefror

Y llain olew yn dal i wasgaru ar wyneb y môr.

## Dydd Llun, 26 Chwefror

Cawod a heulwen bob yn ail heddiw ac yn dal yn oer. Gwelais gynffonnau gwyddau bach yn tyfu ar ochr y ffordd o'r Borth i Bentraeth. Roedd eu gwynder yn hyfryd yn erbyn brown y coed. Tyfu ar yr helygen a wna'r rhain ac, yn union yr un fath â chynffonnau ŵyn bach, mae hwn eto yn enw disgrifiadol da arnyn nhw oherwydd eu bod o ran siâp a lliw yn debyg i benolau gwyddau bach diwrnod oed.

### Dydd Mawrth, 27 Chwefror
Ger fferm Tan y Graig ar y lôn o Dalwrn i Bentraeth roedd y brain wedi dechrau crynhoi wrth eu nythod. Mae yna bentref brain wedi bod yn y coed uchel ar draws y ffordd i'r fferm ers cyhyd ag y medra i gofio. Y llynedd roeddwn i'n synnu fod cyn lleied o nythod yno, nes i mi sylweddoli eu bod nhw wedi dechrau adeiladu ail bentref yn y coed y tu ôl i'r fferm. Roedd yna bentref newydd arall y llynedd yn y coed y tu cefn i Fryn Eglwys, rhyw filltir go dda o Dan y Graig. Ceir pentref sylweddol arall yng Ngheint. Rydw i'n hoffi gwylio'r brain yn eu nythod ond rywsut fedra i ddim llai na theimlo fod gormod o gwmpas erbyn hyn ac y dylid gwneud rhywbeth i gwtogi eu niferoedd.

### Dydd Mercher, 28 Chwefror
Diwrnod heulog arall ac yn rhyfeddol o gynnes i'r amser hwn o'r flwyddyn. Y mynyddoedd yn dal yn wyn i'w godre.

### Dydd Iau, 29 Chwefror
Ydi, mae'n flwyddyn naid, a chyfle, yn ôl traddodiad, i'r ferch ofyn i'w chariad ei phriodi. Yn sicr mae cynnwrf ymysg yr adar y dyddiau hyn a hen drydar, yn enwedig yn y bore a diwedd y pnawn.

# MAWRTH

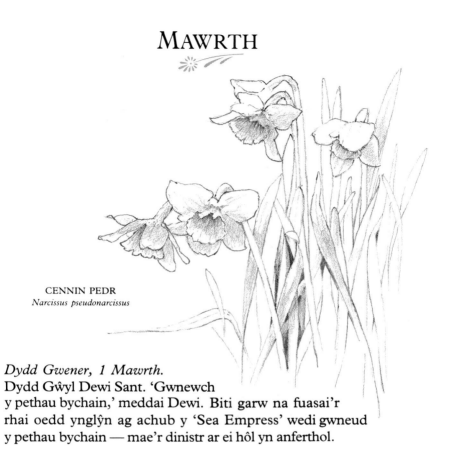

CENNIN PEDR
*Narcissus pseudonarcissus*

*Dydd Gwener, 1 Mawrth.*
Dydd Gŵyl Dewi Sant. 'Gwnewch
y pethau bychain,' meddai Dewi. Biti garw na fuasai'r
rhai oedd ynglŷn ag achub y 'Sea Empress' wedi gwneud
y pethau bychain — mae'r dinistr ar ei hôl yn anferthol.

*Dydd Llun, 4 Mawrth*
Diwrnod cymylog, llwyd ond yn rhyfeddol o glaear a dim ias o wynt.
Mynd am dro ar hyd yr hen lôn bost drwy Geint, heibio Dafarn
Newydd a thrwy Lôn Cae Cwta. Ffordd yma y byddai'r Goets Fawr
yn arfer dod ers talwm ar y daith ar draws Sir Fôn o Fiwmares i
Gaergybi.

Mae'r planhigion yn neidio i fyny ym môn y clawdd erbyn hyn,
a dail pidyn y gog, llau'r offeiriad, y caraint gwyllt a'r danadl
poethion yn amlwg iawn.

Mi sylwais hefyd fod dail chwerwlys yr eithin wedi ymddangos.
Planhigyn diddorol ydi hwn a'i ddail heb fod yn annhebyg i ddail
saets (ac wrth gwrs yr enw Saesneg arno ydi 'wood sage'). Coch

29

ydi lliw'r goes, ac mae oddi tan y dail a'r goes hefyd yn wlanog hefo blew gwyn arni. Wrth rwbio'r dail rhwng y bys a'r bawd ceir arogl arbennig, arogl iach iawn. Roedd blodau ar y mefus gwyllt. Yn y cae gyferbyn â Thy'n Lôn roedd cwningen yn gorwedd yn berffaith lonydd. O edrych yn fwy gofalus mi sylwais fod ei llygaid yn binc ac yn chwyddedig. Does gen i ddim amheuaeth nad y myxomatosis oedd arni.

*Dydd Mercher, 6 Mawrth*
Diwrnod heulog, braf ac yn rhyfeddol o gynnes i fis Mawrth. Mynd am dro i weld creigiau Ynys Lawd ger Caergybi. Roedd yn odidog o braf a'r môr yn llonydd fel llyn. Roedd pâr o frain coesgoch yn cerdded ar y clogwyni gyferbyn â Thŵr Elin ac mi ges olwg clir arnyn nhw drwy bâr o wydrau. Roedd eu plu yn sgleinio'n ddu-las yng ngolau'r haul a'u pigau a'u traed yn goch, goch. Fe gododd y ddau i hedfan fel roeddwn i'n eu gwylio, a phleser pur oedd eu gweld yn nofio'r awyr. Roedd eu symudiadau mor ddiymdrech fel y buaswn i'n tyngu y gallwn innau hefyd godi i hedeg hefo nhw.

Roedd y sŵn o'r creigiau yn anhygoel! Y gwylogiaid oedd yn gyfrifol am y rhan fwyaf ohono, ac mae gwylio rhes ar gefn rhes ohonyn nhw yn union fel edrych ar griw o flaenoriaid Methodist mewn Sasiwn. Er, o ailfeddwl, mae gormod o fywyd ynddyn nhw i fod yn debyg i flaenoriaid! Mae'r plu gwyn, gwyn sydd ganddyn nhw ar eu bron yn gwrthgyferbynnu'n hyfryd hefo'r plu tywyllach ar y cefn, ac mae'r pen yn dywyll hefyd. Roedd ambell glwstwr allan yn nofio yn y môr islaw'r creigiau hefyd. O thua chanol Ebrill tan ddiwedd Gorffennaf mae'r tymor nythu'n para ac mae'r iâr yn dodwy wy ar siâp triongl. Y rheswm am siâp od yr wy ydi ei fod yn troi rownd a rownd ar y silff gul sy'n gartref i'r gwylog yn hytrach na rowlio fel wy cyffredin ac o bosib disgyn dros ochr y graig i'r dyfnder islaw. Mae'r gwylogiaid yn griw o adar sy'n cael eu dychryn yn hawdd ac yn eu braw fe allen nhw daro'r cywion ar ôl deor nes bod amryw yn syrthio i'r môr mawr islaw. Pysgod ydi bwyd y cywion ac mae'r rhieni yn hwrjio'r pysgodyn i'r cyw wrth y pen. Fe fydd y cywion yn plymio i'r môr islaw pan fyddan nhw wedi hanner tyfu am fod bywyd mor beryglus ar y clogwyn. Mi welais aderyn drycin y graig hefyd a sawl gwylan.

*Dydd Gwener, 8 Mawrth*
Roedd cennin Pedr wedi agor yn yr ardd heddiw. Ar y clawdd roedd hi yng nghysgod y gwynt ac yn ddigon o ryfeddod o hardd.

*Dydd Sadwrn, 9 Mawrth*
Diwrnod heulog ond oer.

    Mynd am dro i Foelfre a cherdded i lawr y llwybr bach tuag at y Swnt. Roedd y llanw'n troi ac ym mhen ucha'r traeth creigiog roedd cwtiad y traeth yn bwydo'n brysur. Mi gyfrifais i o leiaf bedair ar bymtheg ohonyn nhw mewn grwpiau o ryw saith neu wyth a phawb yn brysur yn pigo am fwyd. Roedden nhw'n aros i don go fawr olchi drosodd ac yna'n rhuthro i bigo'n gyflym. Y cramenogion a'r molusgiaid bychan ydi eu bwyd nhw, ac wrth ddisgwyl am y don mae'n debyg fod y creaduriaid hynny yn agor rhywfaint ar eu cregyn i'w bwydo'u hunain, ac yn ei gwneud yn haws i'r cwtiad agor y gragen a llyncu'r creadur y tu fewn. Mi lwyddais i fynd o fewn rhyw deirllath iddyn nhw cyn i un fy ngweld a rhoi caniad

CWTIAD Y TRAETH
*Arenaria interpres*

31

o fraw i'r lleill a dyma'r cwbl yn codi i hedeg yn isel dros y traeth. Fuon nhw fawr o dro nad oedden nhw'n ôl yn bwydo unwaith eto, ar ôl i mi gilio i'r llwybr sy'n arwain uwchben y traeth.

Mae'r llwybr hwn yn un o'r rhai hyfrytaf ym Môn ac yn arwain uwchben y creigiau lle gwelwyd diwedd yr 'Hindlea' a'r 'Royal Charter', heibio i fae bach preifat, sy'n perthyn i ystâd yr Arglwydd Boston, ymlaen hyd at Lugwy. O'r fan yma eto, mae modd croesi traeth Llugwy a cherdded draw at draeth yr Ora. Mae G. Wynne Griffith yn cyfeirio at y traeth hwn yn ei nofel antur i blant *Helynt Coed y Gell*. Ymlaen eto o'r fan yma a chyrraedd traeth Dulas. Mi fydda i'n hoffi cerdded y llwybr, haf a gaeaf fel ei gilydd. Mae'n wych yn y gaeaf yn enwedig ar ddiwrnod gwyntog fel heddiw gyda'r tonnau'n torri'n ewyn gwyn yn erbyn y creigiau, ac mae'r un mor hyfryd ar noson braf o haf pan fo'r haul yn machlud yn goch ar y lli.

Mi welais fulfran hefyd o'r fan lle mae'r gofeb i'r 400 a gollodd eu bywydau ar y 'Royal Charter'. Roedd yn nofio'n braf yn y tonnau rhyw bum llath ar hugain o'r lan ac yn plymio bob hyn a hyn i chwilio am ei bwyd o dan y dŵr. Pysgod a llyswennod ydi ei bwyd fel rheol. Roedd yna dair mulfran i'w gweld ar Ynys Moelfre hefyd a'r clwstwr arferol o wylanod.

Erbyn cerdded yn ôl at y traeth roedd y llanw wedi mynd allan rhywfaint ac roedd modd dechrau prowla yn y pyllau-glan-môr sy'n llechu rhwng y creigiau. Roedd y gwymon bach brown, *Dictyota dichotoma*, i'w weld yn glynu fel gelen wrth y creigiau. Mae'n gwbl angenrheidiol i'r gwymon fod ynghlwm wrth y graig neu fe gaiff ei sgubo allan i'r môr gan ymchwydd y tonnau. Nid gwreiddyn sydd gan wymon ond yn hytrach angor i'r graig. Does dim angen gwraidd arnyn nhw gan eu bod yn gallu tynnu pob maeth yn syth o'r môr, ond mae angen gafael cadarn arnyn nhw. Mae'r gwymon brown yn deulu niferus ar lan y môr a nhw sy'n rhoi'r lliw brown a welir ar ganol traeth creigiog fel rheol. Maen nhw'n atgenhedlu drwy sborau sy'n datblygu mewn swigen fechan (lliw melyn-oren) ar flaen y ffrond.

Yn uwch i fyny ar ben ucha'r traeth, roedd clwstwr o wyau'r gragen foch felen. Mae'r rhain i'w gweld yn aml yng nghanol broc môr fel rhyw belen sy'n glwstwr o wyau bychain sy'n teimlo fel papur reis a'r un lliw â phapur reis hefyd.

### Dydd Sul, 10 Mawrth

Diwrnod tyner, heulog, braf ac yn wanwynol o fwyn. Gweld llygad ebrill wedi agor ym môn y clawdd ar fy ffordd i'r Ysgol Sul bnawn heddiw. Mae hwn yn flodyn tlws hefo'r petalau melyn, llachar (fel arfer tua naw petal) yn agor yn gylch i dderbyn yr haul, a'i antherau yn glwstwr niferus yn y canol. Mae'r blodyn yn sefyll rhyw fodfedd neu fodfedd a hanner uwchlaw'r dail sy'n lled-orweddog ar y ddaear ac yn siâp y 'Spades' ar gardiau chwarae, ac yn wyrdd, sgleiniog. Rhyw wythnos arall, os cawn ni dywydd go dyner, fe fydd bôn y clawdd yn un stribed hir o lygad ebrill melyn, llachar.

### Dydd Llun, 11 Mawrth

Y tywydd wedi newid cryn dipyn ers ddoe. Mae'n bwrw ac yn oer a gwlyb. Mae'r saffrwm i gyd wedi cau yn yr ardd heddiw. Ddoe roedden nhw i gyd ar agor ac yn yfed yr haul i'w cwpanau.

### Dydd Mawrth, 12 Mawrth

Glaw eto heddiw. Oer iawn. Dechreuodd fwrw eirlaw heno tua saith ac erbyn amser gwely roedd haenen ysgafn ar lawr.

### Dydd Mercher, 13 Mawrth

Yr Hen Fawrth. Deffro i fyd gwyn y bore 'ma. 'Os daw Mawrth i fewn fel llew, fe aiff allan fel oen,' meddai'r hen ddywediad. Gobeithio'n wir fod gwirionedd ynddo. Mae wedi bod yn ddigon oer y ddau ddiwrnod diwethaf 'ma. Yn ôl hen fodryb imi, yr hen Fawrth a ddylai gael ei gyfri fel y dydd cyntaf o Fawrth; felly hei lwc am ei gweld yn cynhesu o hyn allan.

Bu trychineb yn Dunblane yn yr Alban heddiw. Fe aeth gŵr arfog i mewn i gampfa lle roedd criw o blant pump oed a lladd un ar bymtheg ohonyn nhw a'u hathrawes. Rhywsut all y synhwyrau ddim amgyffred y fath anfadwaith na'r tristwch llethol a ddaeth yn ei sgîl.

### Dydd Iau, 14 Mawrth

Diwrnod sych ond oer. Fe ddaeth y cennin Pedr allan yn llu yn yr ardd erbyn hyn. Mae'r cennin Pedr hen ffasiwn, sy'n tyfu ar glawdd yr ardd, wedi bod yma ymhell cyn i ni ddod yma i fyw. Rhai dwbwl ydi'r hen rai a golwg digon carpiog sydd arnyn nhw hefyd, ond mae eu harogl yn wych!

### Dydd Gwener, 15 Mawrth

Mae'r blodau a anfonwyd i Dunblane yn llenwi'r strydoedd ond dydi'r petalau'n lleddfu dim ar yr hiraeth ar ôl y rhai bach.

### Dydd Mawrth, 19 Mawrth

Wrth gerdded i lawr y lôn mi sylwais fod dail wedi dechrau ymddangos ar y gwyddfid a bod y ddraenen wen yn ei dail mewn sawl lle. Mae'n syndod sut mae'r gwanwyn yn cerdded er bod y tywydd yn dal yn ddigon oer. Am bob diwrnod braf fe gawn o leiaf dri sy'n ddifrifol o oer. Mae I.D. Hooson yn ei gerdd i'r Daffodil yn disgrifio'r naws sydd yn yr awyr yn berffaith:

'Fe'th welais di ar lawnt y plas,
A gwyntoedd Mawrth yn oer eu min.'

### Dydd Mercher, 20 Mawrth

Diwrnod heulog ond y gwynt yn chwythu'n oer o'r Dwyrain. Mynd draw i Star heddiw drwy Benmynydd. Fe gododd ffesant o'r gwrych a rhedeg yn gyfochrog â'r car am sbel cyn hedfan i ddiogelwch dros y gwrych. Geiriau R. Williams Parry sy'n dod i'r cof, 'A'th drem drahaus ar dir y lord,' ond ta waeth am hynny, mae ei blu yn wych. Mae'r lliwiau sidanaidd, gwyrddlas sydd ar ei ben yn gwrthgyferbynnu'n hyfryd â'r plu brown sydd ar ei gorff. Mi fydda i'n hoff o gig ffesant hefyd er na ches i ddim ers blynyddoedd bellach.

FFESANT
*Phasianus colchicus*

34

*Dydd Iau, 21 Mawrth*
Y dydd cyntaf o'r gwanwyn. Tybed? Mae'n oer eto ac yn niwlog
a'r gwynt yn dal i chwythu o'r Dwyrain.

*Dydd Gwener, 22 Mawrth*
Diwrnod tyner, braf heddiw. Mae'n dechrau cynhesu go iawn o'r
diwedd. Diddorol iawn ydi sylwi ar yr ardd; yr eirlysiau'n dechrau
marw, blaenau'r petalau'n troi'n frown a'r blodau gwynion, glân
yn ymostwng yn llipa; y saffrwm melyn hefyd wedi llithro i'r ddaear,
ac er bod y saffrwm piws a gwyn yn dal iddi, dydi'r rheiny chwaith
ddim mor dalsyth ag y buon nhw. Mae'r cennin Pedr bellach yn
eu gogoniant ac yn felyn llachar ar y cloddiau a rhwng y coed yn
yr ardd. Dechreuodd y tiwlips agor — roedd un o'r rhai lleiaf, pinc
wedi agor ddoe. Mae'r briallu, y briallu gardd, yn dlws i'w rhyfeddu
— yn biws, glas, pinc, melyn a gwyn ac yn gwneud sioe werth chweil
rhwng y saffrwm. Fe fydd yn rhaid i mi fynd i chwynnu wythnos
nesaf neu fe â'n andros o job yn nes ymlaen.

*Dydd Sadwrn, 23 Mawrth*
Diwrnod cymylog ac yn smwc bwrw glaw mân. Waeth iddi fod felly
ddim gan fod yn rhaid i mi dreulio dydd Sadwrn arall yn Steddfod
yr Urdd! Sylwi wrth fynd yn y car am Amlwch fod y ffermwr wrthi'n
troi'r cae nesaf at y fynwent yn Llanddyfnan. Roedd yno ddwsinau
o wylanod yn brysur yn pigo popeth a gaen nhw, ac yn eu plith
yr wylan benddu. Mae'r wylan hon yn nodedig am ddilyn yr og,
ac yn ystod y ganrif hon llwyddodd i wneud defnydd helaeth o
domenni sbwriel. Fe'i gwelir yn aml mewn parciau trefol hefyd lle
bydd twr ohonyn nhw'n ffraeo dros ddarnau o fara a daflwyd gan
blant a phobl. Fe fyddan nhw'n nythu yn haid fel rheol, a hynny
ar lan y môr ond fe ganfuwyd nythod ar forfa, mewn gro ac mewn
gorsaf trin carthion! Fel rheol, mae'r iâr yn dodwy dau neu dri wy
ym mis Ebrill ac yn eistedd am 23-24 o ddiwrnodau, ac fe fydd
y cywion yn barod i hedfan mewn rhyw bump i chwe wythnos.

*Dydd Sul, 24 Mawrth*
Diwrnod heulog ac wedi cynhesu cryn dipyn. Y mynyddoedd yn
glir fore heddiw a rhyw sgeintiad o eira ar y copaon. Sylwi fod y
gafnas las a'r gafnas wen wedi blodeuo yn yr ardd.

### Dydd Llun, 25 Mawrth

Diwrnod cymylog ac fe ddaeth y glaw ganol y bore. Mae'n oer heddiw ond er gwaethaf hynny agorodd un blodyn bach gwyn ar y ddraenen ddu.

> 'Pan fo'r ddraenen ddu yn wych,
> Hau dy had pan fo hi'n sych.
> Ond os y ddraenen wen sydd wych,
> Hau dy had boed wlyb neu sych.'

Mae'r neges yn ddigon amlwg wrth gwrs, y ddraenen ddu sy'n blodeuo gyntaf (a'r dail yn dilyn wedyn) a hynny fel arfer yn niwedd Mawrth neu ddechrau Ebrill, gan ddibynnu ar y tywydd a'r ardal. Fe fydd y ddraenen wen yn agor ei dail gyntaf ac wedyn y blodau ac wrth reswm yn blodeuo'n fwy diweddar na'r ddraenen ddu. Fe all yr amaethwr hau'r had pryd y myn hau'r had, wrth gwrs, ond os ydi'r ddraenen wen yn ei gogoniant mae'n hwyr glas iddo wneud hynny. Yn ôl traddodiad, o'r ddraenen ddu y gwnaed y goron ddrain a wisgodd yr Iesu.

### Dydd Mawrth, 26 Mawrth

Gweld fod y dail wedi dechrau agor ar y goeden lelog sydd yn ymyl y tŷ, ac mae'r blagur yn amlwg iawn ar y tresi aur yn yr ardd gefn. Lliw melyn y cennin Pedr sydd i'w weld yn yr ardd bellach yn hytrach na gwynder yr eirlysiau.

### Dydd Mercher, 27 Mawrth

Diwrnod heulog, braf er bod y gwynt yn ddigon main o hyd. Y mynyddoedd yn glir heddiw ac eira'n eu gorchuddio.

Cefais hyd i redyn newydd yn yr ardd. Tyfu ar ben y darn o wal garreg roedd o yn yr ardd gefn. Rhedyn gwyrdd tywyll, a'r ffrondiau yn tyfu'n uniongyrchol o'r canol hefo llwythi ar lwythi o'r sorus brown. Y rhedyn cefngoch ydi o ac mae llun ardderchog ohono gan Goronwy Wynne yn ei lyfr *The Flora of Flintshire*. Enwau eraill arno ydi duegredyn meddygol a rhedyn yr ogofâu.

Rydw i'n ffodus o fod yn byw mewn ardal lle mae'r garreg galch yn gyffredin, er iddi gymryd blynyddoedd imi werthfawrogi hynny. Roeddwn i'n arfer meddwl fod y planhigion a welswn i yn blentyn yn rhai cyfarwydd i bawb. Dim ond ar ôl imi ddechrau crwydro'r wlad y sylweddolais mor llwm ydi hi mewn rhai ardaloedd o'u cymharu â'r ardal hon. A phlanhigyn sy'n hoffi'r garreg galch ydi'r rhedyn cefngoch.

*Dydd Iau, 28 Mawrth*
Un arall o deulu'r *Aspleniacae* ydi gwallt y forwyn neu duegredynen gwallt y forwyn, a rhoi ei enw llawn iddo. Mae hwn eto yn hoff o dyfu ar waliau cerrig calch.

Ceir nifer o hen chwareli cerrig yn yr ardal hon ac, yn naturiol felly, o'r garreg galch mae waliau'r pentref wedi'u codi hefyd. Mae'r wal sy'n derfyn rhwng Lôn Capel a chae Garreg Wen yn lle ardderchog i gael hyd i wallt y forwyn. Wrth reswm, awgryma'r enw 'Garreg Wen' garreg galch. Lle da arall ydi wal yr ysgol. Mae yna sawl planhigyn yn tyfu yno er na wn i ddim sut maen nhw'n cael llonydd gan y plant, ond maen nhw, diolch i'r drefn. Planhigyn gosgeiddig ydi gwallt y forwyn fel mae'r enw Cymraeg yn ei

awgrymu. Ffrondiau hir, cul tua 5-20cm o hyd, lliw gwyrdd tywyll a'r cyfan yn tyfu o ganol y planhigyn, a'r rhimyn main sydd yn y canol yn ddu ac yn galed. Mae llawer o arddwyr yn hoffi'r planhigyn hwn ac yn ceisio'i drawsblannu i'r ardd heb sylweddoli mai gwell ganddo fyw yn ei gynefin.

### Dydd Gwener, 29 Mawrth

Diwrnod heulog braf heddiw, ac mae'n cynhesu o'r diwedd. Rydw i'n dal i roi bwyd i'r adar er bod y ddaear yn ddigon meddal erbyn hyn iddyn nhw gael hyd i'w bwyd eu hunain, ac mae'n rhyfeddol faint ohonyn nhw sy'n dal i ddod i ben y wal i bigo. Mae'r drudwy'n dal i ddod, y ji-binc, robin, titw tomos las ac adar y to wrth y dwsinau.

### Dydd Sadwrn, 30 Mawrth

Troi'r awr heno. Symud awr ymlaen er mwyn cael awr ychwanegol o olau gyda'r nos. Mi fuaswn i'n falch o'n gweld ni'n peidio â throi'r cloc yn ôl ddiwedd mis Hydref er mwyn cael mwy o oleuni gyda'r nos, neu os oes raid troi'r awr, ein bod ni'n troi'r cloc yn ôl ddiwedd mis Tachwedd ac ymlaen ddiwedd mis Chwefror. Dyna fo, mae'n olau am saith heno ac fe fydd yn braf ei chael yn olau am wyth nos 'fory.

TITW MAWR
*Parus major*

38

# EBRILL

BRIALLU
*Primula vulgaris*

*Dydd Llun, 1 Ebrill*
Diwrnod Ffŵl Ebrill. Diwrnod
braf a heulog ond y gwynt yn dal
yn fain. Sylwi bod y dail yn dechrau agor ar y goeden dri lliw ar
ddeg sydd yn yr ardd. Mae'r gwrychoedd i gyfeiriad Cefn Poeth
Bach yn felyn i gyd gan yr eithin. Mae'r adar yn trydar ac mae'n
dechrau teimlo fel gwanwyn. Roedd yn olau am chwarter wedi wyth
heno.

*Dydd Mawrth, 2 Ebrill*
Diwrnod braf, heulog er bod y gwynt yn ddigon main o hyd. Fe
ddeil yr adar to i ddod i ben y wal i chwilio am damaid. Dan fondo'r
capel mae'r rhain yn nythu ac mi fydda i'n eu clywed nhw'n cadw
sŵn yn ystod y dosbarth Ysgol Sul. Mae o'n lle ardderchog mewn
gwirionedd — digon o le a'r caeau a'r gerddi yn hwylus yn ymyl
i gael digon o fwyd.

*Dydd Mercher, 3 Ebrill*
Diwrnod braf, haul a chwmwl bob yn ail ac wedi cynhesu cryn dipyn.
Mynd am dro heibio Pen Ceint heddiw. Mi gyfrifais dros ddeugain
o nythod brain yn y coed ynn ger ochr y ffordd ac roedd y sŵn yn
fyddarol. Sylwi bod y mefus gwyllt yn eu blodau. Blodyn bach
disylw, gwyn hefo pum petal a chanol melyn ydi blodyn y mefus
gwyllt ac yn llawer iawn llai na'r un a dyfir yn ein gerddi. Fe'i ceir
yn tyfu'n gyffredin iawn ar gloddiau neu gan ochr cyfar o goed ac

mae'n hoff iawn o dir calch. Mi dybiwn i ei fod yn blodeuo'n gynnar yn y llecyn hwn am fod yr haul ar y clawdd bron gydol y dydd a rhywfaint o gysgod gwynt. Mae'r clawdd yn un siwrwd o friallu a llygaid Ebrill hefyd. Wir, mae bron fel gardd. Yr haul yn machlud yn goch heno. Diwrnod braf yfory tybed?

### Dydd Iau, 4 Ebrill

Gweld gylfinir yn hedfan ar draws y ffordd ar y lôn o Bentraeth i'r Borth. Fel arfer gweld gylfinir ar y ddaear y bydda i, er na dydw i ddim wedi gweld llawer yn ddiweddar chwaith. Y pig main, hir a'r plu brown, brith sy'n nodweddu'r gylfinir, a'r alwad wrth gwrs:

> 'Dy alwad glywir hanner dydd
> Fel ffliwt hyfrydlais uwch y rhos;
> Fel chwiban bugail a fo gudd
> Dy alwad glywir hanner nos.'

Cychwyn am Fanceinion heddiw i aros dros nos cyn hedfan i Amsterdam bore 'fory. Synnu at faint o bentrefi brain oedd i'w gweld ledled y wlad.

### Dydd Gwener, 5 Ebrill

Dydd Gwener y Groglith. Hedfan i Amsterdam o faes awyr Manceinion yn blygeiniol fore heddiw. Argoeli am ddiwrnod braf a'r lleuad yn llawn wrth i ni deithio i'r maes awyr am chwech y bore. Profiad arswydus i mi bob amser ydi codi i hedfan. Ond mae'n werth yr ymdrech petai dim ond er mwyn gweld mor llachar ydi'r haul ar ôl i'r awyren godi uwchlaw'r cymylau.

Cyrraedd maes awyr Schipol yn ddiogel a theithio hefo trên i mewn i'r ddinas. Syndod oedd gweld cymaint o adar gwyllt ar y camlesi bychan mor agos at ffyrdd a rheilffordd a blociau o fflatiau. Roedd y gwesty ar lan y Singel, un o'r camlesi hynaf yn Amsterdam. Cerdded yn y pnawn ar hyd ochr y Singel, croesi'r Herengracht, y Keizergracht a'r Prinsengracht (camlesi i gyd) i gyrraedd Tŷ Anne Frank a rhyfeddu at harddwch tawel y ddinas. Profiad rhyfedd ac ofnadwy yn Nhŷ Anne Frank oedd dringo'r grisiau cul i fyny i'r stafelloedd moel, diaddurn oedd wedi bod yn lloches iddi hi a'i theulu nes iddyn nhw gael eu bradychu i'r Natsïaid. Syndod hefyd oedd darganfod mor olau oedd y stafelloedd a bod y coed yn yr ardd yn dal i flaguro er gwaethaf creulondeb dyn tuag at ei gyd-ddyn.

Mynd ar daith mewn cwch ar y camlesi ddiwedd y pnawn a sylwi fod tyllau bach yn waliau un o'r pontydd, a bar haearn ar eu traws. Mi dybiwn i mai dyfais i glymu'r cychod oedden nhw ond, beth bynnag oedd eu pwrpas, roedd colomen wedi gweld eu gwerth ac wedi gwneud ei nyth yn y mymryn lleiaf o le y tu ôl i'r bar. Rhyw nyth digon blêr oedd o, wedi'i wneud o fân frigau cyn belled ag y medrwn i weld, ond roedd y golomen yn eistedd yn ddigon bodlon arno er bod twristiaid o bob rhan o'r byd yn hwylio heibio iddi ddydd a nos.

### Dydd Sadwrn, 6 Ebrill
Dydd Sadwrn y Pasg. Codi'n weddol gynnar eto a cherdded ar draws y ddinas i gyfeiriad yr amgueddfeydd. Rydw i'n dal i ryfeddu at harddwch Amsterdam ac at y nifer o adar sydd i'w gweld ar y camlesi. Cwtieir ydi rhai o'r adar mwyaf cyffredin ac yn hapus braf yn nofio'r camlesi a chwilio am eu bwyd. Fel rheol, mân bysgod, llyngyrod (pryfed genwair), molusgiaid a phlanhigion y dŵr ydi bwyd y cwtieir, ond rhaid gen i fod eu hymborth yn Amsterdam ychydig yn fwy soffistigedig gan eu bod yn llowcio beth bynnag a deflid i'r camlesi. Mi welais nyth un neu ddwy hefyd gan ochr rhai o'r hen gychod a ddefnyddid yn dai.

### Dydd Sul, 7 Ebrill
Dydd Sul y Pasg. Mynd am daith drwy'r Iseldiroedd heddiw a chael eglurhad manwl a chynhwysfawr gan arweinydd y daith sut y ffurfiwyd y 'Polders' — y tir isel, undonog, gwastad a gafodd ei adfer o'r môr yn yr ail ganrif ar bymtheg. Y dull, mae'n debyg, oedd tyllu'r gamlas i ddechrau ac adeiladu'r morglawdd ar yr ochr a oedd i gael ei sychu. Wedyn mynd ati i godi melin wynt i bwmpio'r dŵr o'r tir isel i'r gamlas ac oddi yno drwy system o gamlesi i Fôr y Gogledd. Roedd, ac mae wrth reswm, yn bwysig cadw'r camlesi yn rhai dŵr croyw, a chyfrifoldeb y ffermwyr ydi sicrhau fod y camlesi ar eu tir hwy yn berffaith glir. Ychydig iawn o felinau gwynt sydd ar ôl bellach gan mai pympiau olew neu drydan sy'n cael eu defnyddio erbyn heddiw. Undonog ddifrifol ydi'r tir a digon di-raen hefyd o ganlyniad i aeaf arbennig o galed. Tua diwedd Ebrill fel rheol y bydd y gwartheg yn cael eu troi allan i bori. Diddorol oedd sylwi faint o wyddau oedd yn pori'r tir wrth ochrau'r ffermydd a sylwi hefyd nad oedd cloddiau, gwrychoedd na waliau cerrig yma. Does dim o'u hangen wrth reswm gan mai'r camlesi bychain sy'n ffurfio

caeau'r fferm a'r camlesi ychydig mwy yn ffurfio'r clawdd terfyn rhwng un fferm a'r llall. Bob hyn a hyn, wrth nesu at dref neu bentref fel rheol, roedd darnau o dir lle roedd dim ond cyrs i'w weld yn tyfu a hwnnw wedi ei dorri a'i hel yn fydylau taclus. Fe ddaeth llu o atgofion plentyndod yn ôl imi: cofio fel y bydden ni'n lladd gwair hefo cyllell. Ei droi hefo picwarch wedyn a'i hel yn fydylau. Arogl bendigedig y gwair yn llenwi awel yr hwyr, a ninnau'n rhedeg a neidio o'r naill fwdwl i'r llall nes blino'n lân a mynd i'r tŷ yn had gwair o'n corun i'n sawdl.

Ar ôl cinio cawsom gyfle i fynd i weld 'Den Haag' lle mae Senedd y wlad a hefyd y Palas Heddwch rhyngwladol. Roedd y lawntiau eang a'r carped gwyn a phiws o saffrwm yn eithriadol o dlws. Galw yn Madurodam ddiwedd y pnawn i weld y modelau sydd yno o wahanol adeiladau a sefydliadau yn yr Iseldiroedd. Difyr iawn ac yn hwyl i'r plant — yn enwedig gweld Stadiwm Ajax! Ond yr hyn a ddenodd fy sylw i oedd hwyaden wyllt a oedd wedi gwneud ei nyth yng nghanol un o'r modelau. Gobeithio y caiff hi lonydd i fagu teulu yno.

### Dydd Llun, 8 Ebrill

Dydd Llun y Pasg. Taith arall heddiw i weld 'Zans Saachns' sef Sain Ffagan yr Iseldiroedd. Unwaith eto eglurhad ar y 'Polders' a hefyd deall eu bod yn plannu poplys a helyg ar y morglawdd am eu bod yn tyfu'n gyflym, ac felly'n rhoi cysgod gwynt mewn byr o dro.

Defnyddir y coed hyn hefyd gan y 'Klompenmakerij' — y clocsiwr.

Wrth deithio ar hyd ffyrdd diarffordd cefn gwlad, synnir rhywun gan nifer yr adar gwylltion. Mi gyfrifais i bedwar creyr glas o fewn rhyw chwarter awr, ac roedden nhw'n gwbl ddi-ofn yn y camlesi ar ochr y ffordd. Sylwi hefyd ar sawl pioden y môr ymhell i mewn yn y tir yn bwydo ar y 'Polders'.

Yn 'Zans Saachns' mae rhyw bedair hen felin wynt wedi eu diogelu yn y parc a'r cwbl yn dal i weithio ac yn cynhyrchu pethau mor amrywiol â choed, mwstard ac olew coginio allan o gnau. Maen nhw hefyd wedi diogelu hen draddodiadau fel gwneud clocsiau a gwneud caws. Wrth fynd i'r gweithdy bach lle roedd y caws yn cael ei wneud mi sylwais ar flodau bach melyn llachar yn yr ardd, a dyma fynd yn nes i fusnesu. Roeddwn i'n iawn — carn yr ebol oedd yna.

Mynd ymlaen i Edam wedyn a gweld pâr o elyrch ar y gamlas wrth ochr y dref. Mae Edam yn dref hynafol, ddiddorol ac wedi cael ei gwarchod a'i chadw'n dda; ac mae'r strydoedd, y siopau a'r bythynnod te ar fin y camlesi'n hynod iawn. Ond doedden nhw'n ddim i'w gymharu â harddwch gwyn, glân yr elyrch,

> 'Yr alarch ar ei wiwlyn,
> Abid galch fal abad gwyn'.

Mi ofynnais i Elwyn a oedd o wedi eu gweld nhw. Nac oedd o wir; doedd o wedi gweld dim byd ond dŵr! Mae o'n fy atgoffa i o adroddiad T. Gwynn Jones i blant, 'Lle Bach Tlws', a siom y plentyn bach yn y diwedd pan mae o'n dweud nad oedd Idris 'Yn gweled dim byd ond coed'. Mi wn i'n union sut roedd y bychan yn teimlo.

### Dydd Mawrth, 9 Ebrill
Diwrnod braf eto ond yn dal yn oer. Rydw i'n dal i ryfeddu at yr adar ar y camlesi. Gweld hwyaden wyllt a'i chymar ar y dŵr yn ymyl y bont sy'n croesi'r Singel. Hon mae'n debyg ydi hynafiad yr hwyaid dof ac mae'n hawdd gweld pam.

Hedfan adref o Amsterdam heddiw ac oeddwn, mi roeddwn i'n ddigon sentimental i gario tiwlips adref hefo mi. Diolch am gael glanio'n ddiogel a sylwi ei bod gryn dipyn yn gynhesach nag yn Amsterdam.

### Dydd Mercher, 10 Ebrill
Diwrnod heulog braf a'r haul yn gynnes. Mae'r goeden helyg yng ngardd y Wern yn un gawod o gynffonnau gwyddau bach, ac mor hardd nes bod rhywun yn meddwi wrth edrych arni.

### Dydd Iau, 11 Ebrill
Diwrnod arall eithriadol o braf, a'r haul yn gynnes. Bron na fedr rhywun glywed pethau'n tyfu yn yr ardd. Roedd Dad wedi gorffen plannu tatws tra oedden ni oddi cartref. Mi es i o gwmpas yr ardd i gael sbec a chanfod fod y tiwlips wedi dechrau blodeuo, yr hiasinth a'r sosin bach glas. Mae llygad y goediar hefyd wedi dechrau blodeuo. Roedd y dail ar y goeden lelog wedi agor cryn dipyn, a mwy o flodau ar y ddraenen ddu. Y gafnas las a'r gafnas wen yn eu gogoniant ar ben y wal bach a phopeth fel tae wedi ffrwydro tra oeddwn i ffwrdd.

*Dydd Gwener, 12 Ebrill*
Bwrw glaw yn ddistaw heddiw ond bwrw'n drwm iawn. Glaw tyfu go iawn.

*Dydd Sadwrn, 13 Ebrill*
Diwrnod oer, cymylog ond fawr ddim gwynt. Mynd draw ar ôl cinio i greigiau Ynys Lawd i weld a oedd mwy o'r adar wedi dychwelyd yno ar ôl y gaeaf. Siom a ges i. Doedd yna yr un gwylog ar gyfyl y lle. Roedden nhw wedi bod yn eistedd ar y silffoedd uwchben y môr yn y bore mae'n debyg ond wedi hedfan i ffwrdd yn weddol gynnar yn ôl y ferch o'r Gymdeithas Gwarchod Adar. Mae Twr Elin ar agor o ddechrau mis Ebrill tan fis Medi bob blwyddyn a chyfle da i wylio'r adar ar y creigiau heb wlychu! A chael cyfle i fenthyca pâr da o wydrau. Mae ganddyn nhw hefyd gamera a'i lens symudol wedi ei throi ar y clogwyni fel bod modd cael golwg glir iawn ar sawl aderyn yn ei dro. Roedd y camera wedi ei droi ar aderyn drycin y graig heddiw. Wel, ar ddau ohonyn nhw a oedd yn brysur yn paru. Roedd y ddau yn rhyw hanner eistedd ar silff ar y graig ac yn ymestyn i fyny i gribo a thwtio gyddfau'r naill a'r llall.

Roedd yr wylan gefnddu leiaf yno hefyd. Mae'n llai na'r wylan gefnddu fwyaf fel mae'r enw'n awgrymu, a dydi'r plu ar yr adenydd ddim mor ddu ar yr un leiaf. Mwy o liw llwyd-ddu. Doedd hon chwaith ddim wedi dechrau nythu eto.

Roedd gwylan y penwaig yn amlwg iawn yno. Plu adenydd hon yn llwyd goleuach, y blaenau'n ddu a gwyn, a'r traed yn binc. Mae'n dwyllodrus gwylio'r adar o'r Twr ei hun gan nad ydi rhywun yn clywed eu swn yn glir iawn. Ond ar ôl mynd allan, mae'r swn yn fyddarol.

Gweld crinllys wedi blodeuo ar ochr y llwybr sy'n arwain at y Twr. Lliw glas dwfn arno.

Mae yna hebog tramor o gwmpas hefyd, ond does neb yn siŵr iawn ymhle mae o'n nythu — a gwell felly, rhag ofn i rai ddod yno i geisio dwyn yr wyau.

*Dydd Llun, 15 Ebrill*
Dal yn oer a'r gwynt o'r Dwyrain. Bwrw glaw ar ôl cinio. Mynd i Lanfair bore 'ma a gweld bod y botwm crys wedi blodeuo ar ben y clawdd ar y troad am Lanfair. Tybed ai oherwydd fod y blodyn mor wyn y cafodd yr enw botwm crys? Pum petal sydd i'r blodyn

ei hun a'r rheiny wedi eu clymu at ei gilydd i wneud tiwb yn y gwaelod (yn y darn sy'n mynd i mewn i'r sepalau). Mae pob petal yn ei dro'n ymrannu'n ddau gan roi'r argraff fod gan y blodyn ddeg petal er mai pump sydd ganddo mewn gwirionedd. Mae'r antherau (deg ohonynt) yn y canol ac yn lliw oren llachar, sy'n wrthgyferbyniad da yn erbyn gwynder y petalau, ac, wrth gwrs, yn ddyfais ardderchog i ddenu pryfed yno i beillio.

*Dydd Mawrth, 16 Ebrill*
Diwrnod glawog eto ond yn gynhesach na ddoe. Mae'r ddraenen ddu wedi blodeuo yn y gwrych gyferbyn â ffenest y gegin.
>'Onid gwych oedd canfod gwên
>Ddoe ar wyneb y ddraenen?'

*Dydd Mercher, 17 Ebrill*

GWENNOL
*Hirundo rustica*

Diwrnod heulog a gwyntog. Diwrnod sychu da. Mae dad wedi gweld gwennol medda fo. Dydw i ddim wedi gweld un eto, ac 'Un wennol, ni wna wanwyn.' Mae'n rhaid i mi gofio cario arian gloywon yn fy mhoced hefyd, rhag ofn i mi glywed y gog yn

canu. Yn ôl traddodiad, os os gen i bres yn fy mhoced pan glywa i'r gog am y tro cyntaf eleni, fe fydd gen i bres drwy gydol y flwyddyn. Ceir traddodiad arall sy'n dweud mai'r hyn y bydd rhywun yn ei wneud pan glyw'r gog am y tro cyntaf ydi'r hyn y bydd o'n ei wneud weddill y flwyddyn. Mae hyn yn hollol wir. Mae gen i dystiolaeth bendant o hyn. Fel arfer, rhoi dillad ar y lein y bydda i pan glywa i'r gog yn canu, a does dim sy'n sicrach nad dyna fydda i'n ei wneud weddill y flwyddyn hefyd!

45

## Dydd Iau, 18 Ebrill

Roedd Dad yn iawn. Rydw innau wedi gweld dwy wennol heddiw, yn chwarae'n braf uwchben y cae.　Gweld fod berwr blewog wedi blodeuo yn yr ardd ac ar y cloddiau. Yn ôl llyfr Dafydd Davies, *Enwau Cymraeg ar Blanhigion*, ceir sawl enw Cymraeg arno, fel berwr y gerddi a berwr y meysydd. Dydi garddwyr go iawn ddim yn gweld hwn yn ei flodau wrth gwrs; fe fyddan nhw wedi ei chwynnu pan oedd o'n dal yn glwstwr o ddail ar y ddaear. Ond y nhw sydd ar eu colled. Mae'n flodyn bychan bach, gwyn gyda phedwar petal arno ac yn ymestyn ar goesyn tua phedair modfedd uwchben y dail sy'n tyfu'n rosét o'r canol ar wyneb y ddaear.

## Dydd Gwener, 19 Ebrill

Gweld blodyn y gwynt ar ochr y ffordd rhwng Hendre Hywel a Phenterfyn. Roedd clwstwr ohonyn nhw yno ac yn tyfu yno bob blwyddyn o ran hynny. Rydw i wedi meddwl llawer tybed mai at y blodyn hwn y cyfeiriai Crwys yn ei gerdd 'Fy Olwen I'. Mae'r llinellau

> 'Ond beth tase dwylo f'anwylyd mor wyn
> Ag anemoni ffynnon y coed,'

yn ddisgrifiad da o flodyn y gwynt yn ei gynefin. Fel arfer, yn ddwfn mewn hen goed y deuir ar ei draws, a'r blodyn yn wyn a gosgeiddig. Mae twr ohonyn nhw fel criw hudolus o'r tylwyth teg yn dawnsio yn y gwynt.

## Dydd Sadwrn, 20 Ebrill

Mae briallu Mair wedi blodeuo ar glawdd yr ardd. Hen rai ydi'r rhain ac yn blodeuo bob blwyddyn, dim ond iddyn nhw gael llonydd. Dydi'r dail ddim yn annhebyg i ddail briallu, ond mae'r blodau'n wahanol. Ceir clwstwr o flodau bychain melyn yn tyfu oddi ar un goes a'r coesyn yn tyfu o ganol y dail sydd fel arfer yn lled-orweddog ar y ddaear.

## Dydd Llun, 22 Ebrill

Haul a gwynt heddiw, a'r gwynt yn hyrddio'r cymylau ar draws yr awyr las. Fe fydd yn rhaid iddi ddod yn law i ostegu'r gwynt. Mynd am dro ar hyd Lôn Ceint a gweld yn y pant islaw Pen Ceint fod gold y gors yn eu blodau. Tyfu mewn llecynnau digon gwlyb, fel yr awgryma'r enw, y bydd gold y gors ac mae'r darn tir yma yn wlyb. Enw arall arno ydi melyn y gors. Blodau mawr melyn sydd ganddo hefo pum petal a chlwstwr o antherau yn y canol. Roedd dail yr iris felen hefyd wedi ymddangos.

### Dydd Mawrth, 23 Ebrill

Wedi glawio dros nos ond yn fore heulog a gwyntog. Mae'r lawnt o flaen y tŷ yn fôr o las. Y rheswm am hynny ydi na dydw i ddim wedi torri'r lawnt ac mae llygad doli'n britho'r borfa. Ar ei ben ei hun, blodyn bychan digon di-nod ydi llygad doli ond pan fydd cnwd ohonyn nhw hefo'i gilydd maen nhw'n ffurfio cwrlid glas digon o ryfeddod. Felly mae'r lawnt ar hyn o bryd. Mae lawnt pawb arall yn berffaith wyrdd wrth gwrs, ond wyddan nhw ddim am yr harddwch maen nhw'n ei golli! Mae'r enw Cymraeg yn disgrifio'r blodyn i'r dim oherwydd bod y blodau bychain glas yn union fel llygaid ar ddol tsieni hen ffasiwn.

### Dydd Mercher, 24 Ebrill

Mae clawdd Lôn Capel yn union fel gardd, a'r clystyrau o friallu, crinllys, llygad Ebrill, dant y llew a llygad y dydd yn ddigon o ryfeddod. Mae'n gardd ninnau hefyd yn eithriadol o hardd hefo'r cyraint Ffrengig yn eu blodau, y blagur ar y coed afalau bron iawn ag agor a blodau'r coed eirin yn yr ardd uchaf ar fin ffrwydro. Felly hefyd y blagur llwydaidd eu lliw ar y tresi aur. Ymhen dim o dro fe fydd y melynllys yntau yn ei flodau. Rhyw liw llwydwyrdd sydd i ddail y planhigyn hwn, yn wahanol iawn i'r rhan fwyaf o'r planhigion eraill. Yn ôl Dad, dyma un o'r cynhwysion y byddai Meddygon y Ddafad Wyllt yn ei ddefnyddio i gael gwared ar ddefaid oddi ar y croen. Ceir sudd oren-felyn yng nghoes y planhigyn a hwn a ddefnyddid fel meddyginiaeth.

### Dydd Iau, 25 Ebrill

Diwrnod o haul a gwynt a glaw. Fe brafiodd dipyn ar ôl cinio ac mi es am dro ar hyd Lôn Ceint. Sylwi fod yr ieir yn eistedd ar y nythod ym mhentre'r brain bellach. Mae'r dulys wedi blodeuo hefyd ym môn y clawdd ar hyd y lôn. Planhigyn mawr gwyrdd ydi hwn sy'n tyfu'n llawer uwch na gweddill y tyfiant yr adeg hon o'r flwyddyn. Er bod y blodyn unigol yn fach a disylw mae'n ffurfio pen cyfansawdd o nifer o'r blodau bychain melynwyrdd sy'n gwneud pen ar ffurf ymbarél. Aelod o'r teulu *Umbelliferae* ydi o, ac mae'r coesyn yn ddigon tebyg i goes seleri ac yn fwytadwy.

## Dydd Sadwrn, 27 Ebrill

Y Gylchwyl ym Modffordd. Diwrnod heulog, braf er bod y gwynt yn dal dipyn yn fain. Roedd y wlad yn eithriadol o hardd wrth fynd yn y car i Fodffordd. Y gwrychoedd yn wyn gan flodau'r ddraenen ddu, y cloddiau yn llawn lliwiau'r blodau a'r caeau'n leision i gyd.

## Dydd Sul, 28 Ebrill

Diwrnod arall neilltuol o braf, yr haul yn gynnes a'r goeden eirin yn yr ardd gefn wedi ffrwydro. Mae'r gwynder mor llachar nes ei fod yn brifo. Mae'r dail ar y tresi aur wedi dechrau agor hefyd.

## Dydd Llun, 29 Ebrill

Diwrnod gwahanol iawn i ddoe: glaw distaw ac yn llawer oerach. Sylwi wrth droi i lawr Lôn Rysgol fod dail a blodau wedi agor ar y goeden goncars ym muarth Cae'r Mynydd. Castanwydden neu gastanwydden y meirch ydi'r enw iawn ar y goeden hon ond coeden goncars fydd pawb yn ei ddweud ar lafar gwlad. Dydi'r blodau ddim wedi agor yn llawn eto. Maen nhw'n dal yn wyrdd yr olwg ond ar ôl agor yn iawn fe fydd y blodau'n wyn ac fel pyramydiau bychain yn codi o flaen y canghennau.

## Dydd Mawrth, 30 Ebrill

Diwrnod cymylog heddiw a daeth yn gawod o genllysg wrth imi ddod adref o Fangor. Gweld fod carn yr ebol wedi troi'n benwyn ar ochr y ffordd. Mae clwstwr ohonyn nhw'n tyfu ar fin y ffordd rhwng Talwrn a Phentraeth heb fod ymhell o'r troad am Lôn Bwbach. Dydi'r blodau melyn ddim yn annhebyg i ddant y llew wrth edrych arnyn nhw o bell. Dim ond wrth fynd yn nes a sylwi'n ofalus y gwelwch chi'r gwahaniaeth, ac mae'r un peth yn wir am yr hadau hefyd — pen melyn llachar yn troi'n wyn gan glwstwr o hadau bychain sydd ynghlwm wrth ben y goes. Ym mhen arall yr hadau mae nifer o flew ysgafn gwyn fel darnau o edafedd byr ysgafnach na'r aer yn tyfu. Y rhain wedyn sy'n gyfrifol am godi'r hedyn yn rhydd o'r planhigyn a'i gario fel wrth barasiwt bychan ymhell hefo'r gwynt. Mae cyffwrdd y pen gwyn hwn yn union fel cyffwrdd darn o sidan esmwyth a meddal.

Dad wedi bod yn priddo tatws heddiw.

# MAI

CUDYLL COCH
*Falco tinnunculus*

### Dydd Mercher, 1 Mai

Calan Mai. Diwrnod oer a gwlyb,
a dim byd tebyg i fis Mai.

Mae Mr Thomas, Tŷ Croes wedi clywed y gog
medda fo, ond dydw i ddim eto. Rantio o gyfeiriad
Coed Gylched roedd hi ac o'r cyfeiriad hwnnw y
bydda innau'n ei chlywed bob blwyddyn.

### Dydd Iau, 2 Mai

Mynd ar hyd Lôn Ceint a chrwydro cyn belled â Chae
Crin. Mae'r darn hwn o Lanffinan, y darn anghysbell rhwng Talwrn
a Phentraeth yn destun rhyfeddod i mi bob amser. Fydda i ddim
yn crwydro'r ffordd yma'n aml, ond pan fydda i'n gwneud mae
rhywbeth newydd i'w weld o hyd. Blodyn neidr a welais i heddiw,
y cyntaf i mi ei weld eleni. Mae'n flodyn sy'n tyfu'n weddol dal
fel ei fod yn gwthio uwchben y glaswellt yn y cloddiau ac mae'r
dail yn ymddangos gyferbyn â'i gilydd fesul dwy, hefo cryn chwe
modfedd cyn y ddwy ddeilen nesaf ar y goes. Blodyn lliw pinc ydi

49

o, pum sepal a'r rheini wedi eu rhannu'n ddwy bron i'r gwaelod nes gwneud i'r blodyn edrych yn fwy petalog nag ydi o mewn gwirionedd. Mae'n reit gyffredin yn y cloddiau.

Gweld y fioled hefyd — clystyrau mawr ohonyn nhw yn harddu'r cloddiau, ac aceri o friallu. Siarad â Mr Evans, Beddau Mawr ar fy ffordd. Dydi o chwaith ddim wedi clywed y gog eto ond mae o wedi gweld sawl gwennol.

### Dydd Gwener, 3 Mai
Mynd i lawr i Gaerdydd i fwrw'r Sul a theithio heibio i Amwythig drwy lawr gwlad Lloegr. Rhyfeddod i mi bob amser ydi pa mor gyfoethog a ffrwythlon ydi'r tir yma. Diwrnod eithriadol o braf ond yn dal yn oer. Teithio drwy'r tir y canodd A. E. Housman, y 'Shropshire Lad' mor delynegol iddo, a rhyfeddu at gwrlid y briallu dan y coed, y gwenoliaid mor brysur ar eu hadain a'r coed yn deilio ym mhobman.

'Mae Mai ar y blagur mân.'

### Dydd Sadwrn, 4 Mai
Diwrnod braf arall ond yn dal yn oer. Profiad diarth i mi ydi gweld gwanwyn mewn dinas. Mynd i weld ffrindiau fore heddiw a gweld bod ganddyn nhw goeden 'magnolia' yn yr ardd. Mae siâp a lliw'r blodau yn odidog a difyr ydi cofio ei bod yn un o'r coed hynny sydd wedi addasu'r blodau er mwyn denu pryfed i'w pheillio. Gweld coeden lelog mewn gardd arall yn flodau piws i gyd — a chenfigennu. Dydi'r lelog sydd gen i gartref ddim wedi agor eto.

### Dydd Sul, 5 Mai
Diwrnod godidog o braf. Troi am adref a phenderfynu mynd yn ôl yr un ffordd. Roeddwn i'n falch ein bod ni wedi gwneud. Mi welais fwncath yn hofran yn fawreddog yn yr awyr nid nepell o'r 'Long Mynd'. Hwn ydi un o'r adar ysglyfaethus mwyaf ac yn ddigon cyffredin bellach er mai pur anaml y bydda i'n ei weld o yn Nhalwrn. Fe fu'n ddigon prin ar un adeg. Ar droad y ganrif roedd ciperiaid yn saethu llawer ohonyn nhw ond yn ystod y ddau ryfel byd fe gynyddodd eu niferoedd a hynny yn ôl pob golwg am fod yna lai o giperiaid ar y tir. Wedyn fe ddaeth dyddiau blin i'r bwncath yn ystod y pum degau pan oedd 'Myxomatosis' wedi difa'r cwningod ledled y wlad, a doedd na ddim bwyd i'r bwncath. Ond yn ôl pob

golwg mae pethau'n gwella eto rwan. Nythu mewn coeden y bydd o neu ar silff ar ochr craig yn weddol uchel o'r llawr. Ebrill a Mai ydi'r amser nythu ac fe fydd yr iâr yn dodwy dau neu dri o wyau gwyn a smotiau browngoch mewn nyth digon blêr, ac fe gymer rhyw fis go dda i'r wyau ddeor.

Gweld llwynog ar y ffordd ddeuol ar ôl pasio pentref Helygain. Yn anffodus wedi cael ei ladd gan gar yr oedd o. Ond doedd dim modd methu'r blewyn coch.

Roedd popeth yn eithriadol o glir heno ac arfordir Môn i'w weld yn blaen wrth deithio tuag adref:

> 'Anwylach man ni ylch môr
> Iwerydd na'r gain oror.'

### Dydd Llun, 6 Mai

Diwrnod clir eithriadol eto. Y mynyddoedd yn glir ac ychydig o esgyrn eira'n llechu yn y cilfachau uchaf. Diwrnod o glirio'r atig. Diolch i'r drefn chlywais i mo'r gog. Doeddwn i ddim yn ffansïo treulio gweddill y flwyddyn yn clirio'r atig! Roedd yr haul yn suddo'n goch ochr y Wern o'r goeden fasarn fawr yng ngwaelod yr ardd, a hynny tua chwarter i naw y nos. Mae'n syndod cymaint mae'r dydd wedi cerdded ers Ionawr.

### Dydd Mercher, 8 Mai

Mynd draw i Geint. Mae'n dal yn braf, ond ddim mor glir ag y bu'n ddiweddar er bod y gwynt yn dal o'r Dwyrain. Roedd sŵn byddarol gan y brain yn y pentref. Gweld fod dail yr alan mawr yn amlwg iawn. Fe all y rhain dyfu hyd at ryw droedfedd o hyd ac, o bell, dydyn nhw ddim yn annhebyg i ddail riwbob.

### Dydd Iau, 9 Mai

Dod yn ôl o Fangor bore 'ma ar hyd lôn Pentraeth a gweld cudyll coch yn hofran uwchben brwgaets ar hyd ochr y ffordd. Mi sylwais arno yn yr ardal hon lawer gwaith o'r blaen. Ceir sawl cyfar o goed yn y rhan hon o Fôn a dydi Mynydd Llwydiarth ddim ymhell. Aderyn sydd hefyd yn hoffi tir amaethyddol ydi'r cudyll coch ac felly dyma'r math o dirwedd sy'n gweddu iddo. Aderyn trawiadol, a'i brae fel arfer ydi mamoliaid bychain fel llygod:

> 'Ac yntau fry yn deor gwae,
> A chysgod angau dros y cae.'

CLYCHAU'R GOG
*Hyacinthoides non-scripta*

*Dydd Sadwrn, 11 Mai*
Mynd draw i'r Benllech
am dro heno, heibio Ty'n
Beudy ac i lawr allt Bedd y Wrach. Roedd bwtsias
y gog yno yn eu gogoniant. Oes yna flodyn harddach na hwn?
Coedwigoedd ydi cynefin clychau'r gog a phleser pur ydi gweld llawr
y goedwig yn un carped o las yr adeg hon o'r flwyddyn. Ac nid y
lliw yn unig sy'n peri i rywun wirioni ond hefyd 'Y gwyllt atgofus
bersawr,' chwedl Williams Parry.

Tyfu o fylbiau a wna clychau'r gog, ac os cân nhw lonydd heb
i neb bigo'r blodau na chodi'r bylbiau, fe ledaenant fesul blwyddyn.
Dyna pam eu bod nhw mor niferus dan y coed ar allt go serth lle
na fedr dyn eu cyrraedd.

Wrth fynd ar hyd lôn Cefniwrch, sylwi ar yr eithin a'r ddraenen
ddu yn tyfu ar y gefnen. Mae peth amwyster ynglŷn â'r enw
Cefniwrch: rhai yn dweud ei fod wedi ei enwi ar ôl yr iwrch — y
carw lleiaf sy'n gynhenid i Ynysoedd Prydain — ac eraill yn dweud
mai am fod y mymryn o godiad tir yn hir ac yn wastad ac yn debyg
i gefn yr iwrch. Wn i ddim p'run sy'n gywir, ond roedd o'n hardd
i'w ryfeddu heno.

Cyn cyrraedd chwarel Nant Newydd, gweld craf y geifr yn tyfu. Planhigyn hardd ydi hwn ond dda gen i mo'i ogle! Rydw i'n cofio fod hwn yn tyfu yng Nghoed y Parciau pan oeddwn i'n arfer mynd yno'n hogan bach i chwarae tra'n aros yn nhŷ Anti Maggie ac Yncl Huw. Fel arfer erbyn mis Mehefin fe fydd ei arogl yn llenwi'r coed. 'Wood garlic' ydi un enw Saesneg arno ac arogl nionyn cryf sydd yna wrth dorri coes y blodyn a'r ddeilen. Mae'r ddeilen yn hir a chul ond yn lletach yn ei chanol. Blodau gwynion sydd ganddo hefo nifer o flodau bychain yn creu un pen. Ceir chwe phetal gwyn i bob blodyn a chwe briger (gwyn eto) nes gwneud i'r blodyn edrych fel seren fechan wen, dlos. Pan fo nifer o'r blodau wedi agor hefo'i gilydd mae'n edrych fel cwrlid gwyn.

*Dydd Sul, 12 Mai*
Mi glywais y gog fore heddiw. Chwarter i saith bore 'ma oedd hi ac roeddwn innau rhwng cwsg ac effro. Wel, am unwaith rydw i'n gobeithio fod yr ofergoel am yr hyn rydych chi'n ei wneud pan glywch chi'r gog am y tro cyntaf yn wir am weddill y flwyddyn. Yn fy ngwely rydw i isio bod am chwarter i saith ar fore Sul! Yr unig drafferth wrth gwrs ydi nad oes yna boced mewn coban ac felly mae'n amlwg mai gwag fy mhoced y bydda i eleni eto. Roedd ei 'Hu-Hu' yn hudolus yr adeg yna o'r bore a minnau ddim yn siŵr am sbel a oeddwn i'n breuddwydio ai peidio. Mae'r gog yn aml yn cael ei henwi'r gog lwydlas ac mae'n ddisgrifiad da ohoni — llwydlas ydi ei lliw. Dodwy ei hwyau yn nythod adar eraill a wna'r gog, wrth gwrs, ac mae'n debyg mai dyma un rheswm pam y mae'n cael ei hystyried yn aderyn trahaus.

Weithiau bydd rhai pobl yn cael eu galw'n eithaf dilornus yn gogau, fel 'Cogau Dolwyddelan'.

*Dydd Llun, 13 Mai*
Bwriodd y coed eirin yn yr ardd uchaf eu petalau i gyd erbyn hyn, a'r lawnt yn un plyg o gonffeti gwynion. Mae'r dail yn prysur agor ar y tresi aur a'r sepalau llwydaidd sy'n ffurfio coden fach i ddal y blodau i'w gweld yn amlwg iawn. Dechrau deilio ydi hanes y pum cerddinen yn yr ardd isaf hefyd ond mae'r coed afalau wedi deilio'n gyfan gwbl erbyn hyn ac ambell smotyn bach o goch yn ymddangos lle bydd y blodau'n agor cyn bo hir rŵan.

Erbyn hyn, mae'r cennin Pedr wedi marw bron yn llwyr a'r tiwlips a'u coch llachar yn prysur ddarfod. Rhyw ddechrau deilio ydi hanes y fasarnen yng ngwaelod yr ardd. Mae hon yn llawer mwy na gweddill y coed, a hi ydi'r olaf bob blwyddyn o'r coed masarn i ddeilio. Sycamorwydden ydi enw arall ar y goeden hon neu, fel y bydd hi'n cael ei galw'n lleol, jacmor. Dydi hi ddim yn un o goed cynhenid Cymru.

Mae'r gog yn rantio heno o gyfeiriad Ty'n Refail.

*Dydd Mawrth, 14 Mai*
Diwrnod braf arall a llai o wynt ac felly'n teimlo'n gynhesach. Sylwi ar gwningen fechan yng Nghae Twm bore 'ma. Roedd yn ddigri ei gwylio'n snwffian y glaswellt, a'r gwair o'i hamgylch yn un carped gwyn o lygad y dydd. Yna'n sefyll ar ei dwy goes ôl a chodi ei phen a'i chlustiau'n siarp i wrando cyn sboncio yn ei blaen ryw ychydig, ond byth yn mentro'n rhy bell oddi wrth gysgod y gwrych. Rhaid ei bod wedi clywed rhywbeth yn rhywle, achos yn sydyn bwt fe droes rownd, ac yna, gyda'i chynffon wen yn sboncio i fyny ac i lawr, fel nodau o gerddoriaeth wallgo ar bapur, fe wibiodd ar draws y cae a diflannu i'r clawdd.

*Dydd Mercher, 15 Mai*
Sylwi bod sawl buwch goch gota ym mhen draw'r ardd, felly dyma gael sbec ar un ohonyn nhw. Roedd tri smotyn bach du ar un hanner o'i chefn a thri ar yr ochr arall — y naill yn adlewyrchu'r llall yn berffaith, ac un smotyn yn y canol yn rhannu'n ddau ar hanner ei chefn. Y fuwch goch gota saith-smotyn oedd hon ac mae'n gyffredin iawn drwy Ynysoedd Prydain ac yn sicr mae sawl un yn yr ardd yma.

Perthyn i'r chwilod mae'r fuwch goch gota, ac un werth ei chael yn yr ardd ydi hi hefyd gan ei bod yn bwydo ar yr affids. Mae'r rhain, plâu fel y pry gwyrdd a'r pry du, yn sugno'r sudd o blanhigion ac felly'n eu difrodi. Ond o gael ambell fuwch goch gota yn yr ardd mae modd rheoli'r plâu hyn mewn ffordd fiolegol sy'n garedig i'r amgylchedd yn hytrach na defnyddio plaladdwyr di-alw-amdanynt. Y lliwiau llachar sy'n ein denu at y fuwch goch gota wrth gwrs, a'r smotiau du ar gefndir coch yn ddeniadol iawn i'n llygaid ni ond neges wahanol sy'n cael ei chyfleu i adar, sef 'Perygl! Gwyliwch! Dydw i ddim yn flasus i'w fwyta!'

*Dydd Iau, 16 Mai*

Mynd draw i Ynys Lawd fore heddiw. Diwrnod clir, a mynyddoedd Eryri i'w gweld yn un rhes draw i Ben Llŷn. Roedd Mynydd Enlli i'w weld yn glir. Roedd clustog Fair, y gludlys arfor a seren y gwanwyn yn eu blodau pinc a gwyn a glas ym mhobman; blodau'r eithin yn diferu o arogl cnau coco a'r adar yn un twr mawr ar y creigiau.

Roedd y gwylog a'r llurs yn amlwg iawn, a rhyw dri phâl yn nofio allan ar y môr islaw. Fe gododd un o'r palod i hedeg o'r môr ac roedd modd gweld ei draed oren-goch yn glir. Du ydi cefn y pâl a'i wyneb a'i fron yn wyn, ond ei big sy'n nodedig — yn streipiau o goch a melyn a glas. Rhyw hanner cant ohonyn nhw sydd ar Ynys Lawd ac yn nythu mewn hen dyllau ar y creigiau. Dim ond os bydd yn ei osod ei hun wrth fynedfa'r twll hwnnw y bydd rhywun yn ddigon lwcus i ddarganfod ei nyth.

Mae'r llurs wedi dechrau dodwy eu hwyau ers tua wythnos, yn ôl Warden y Gymdeithas Gwarchod Adar. Anodd ydi gweld yr wy, ac un fydd yr iâr yn ei ddodwy fel rheol am ei bod yn ei ddal rhwng ei choesau fel bod ei chorff a'i phlu yn ei gynhesu a'i ddiogelu. Dydyn nhw ddim yn gwneud nythod ond yn dodwy ar graig ac fe gymer rhyw ddeg diwrnod ar hugain i'r wyau ddeor. Mae'r llurs yn aderyn mwy sgwâr na'r gwylog a'i big nodweddiadol yn fwy trwchus ac, wrth gwrs, ceir streipen wen amlwg yn rhedeg o'i lygaid i'w big. Fel y gwylog, bydd y llurs yn heidio ar silffoedd y creigiau uwchben y môr ond, yn wahanol i'r gwylog, yn tueddu i chwilio am ryw fymryn o gysgod craig uwch ei ben, neu symud i ochr yn hytrach na chanol y silff. Roedd y sŵn hanner dolefus 'crrrrr' a godai o'r hafn yn ddigon i beri ofn.

*Dydd Sul, 19 Mai*

Diwrnod oer a gwlyb. Bu'n bwrw glaw yn ddi-baid drwy'r dydd, phawb yn cwyno ei bod yn wanwyn diweddar ac yn holi pryd mae'n mynd i gynhesu.

*Dydd Llun, 20 Mai*

Diwrnod heulog ond y gwynt yn dal i chwythu'n oer ond o'r De-orllewin erbyn hyn. Mae'r mynyddoedd yn glir a chawod arall o eira wedi disgyn ar y copaon. Mynd am dro heibio i'r Comins ac i lawr drwy'r cae chwarae heibio'r eglwys. Lle da am degeirianau ydi'r mymryn tir o gwmpas yr eglwys ac eleni, fel arfer, roedd nifer o'r tegeirian coch wedi blodeuo. Mae rhai yn adnabod hwn fel tegeirian coch y gwanwyn neu'r tegeirian porffor; enw rydw i'n ei hoffi'n fawr ydi hosanau'r gog. Grŵp nodedig o flodau ydi'r tegeiriannau, rhai sydd wedi esblygu'n arbennig er mwyn denu pryfed i beillo'r blodyn. Lliw piwsgoch cyfoethog dros ben sydd i flodau, tegeirian coch a nifer o flodau bychain yn ffurfio un pen cyfansawdd. Gwyrdd tywyll ydi'r dail hefo nifer o smotiau duon ar y ddeilen.

*Dydd Mawrth, 21 Mai*
Diwrnod gwyntog, heulog ond yn dal yn oer. Mynd draw i Benmynydd a sylwi bod y llwynhidydd yn amlwg iawn yn y byrwellt gan ochr y ffordd erbyn hyn. Yn blant, pengaled oedden ni'n galw'r rhain ac fe gaem lawer iawn o hwyl yn chwarae gêm â nhw — rhywbeth digon tebyg i chwarae concars. Y pen caled tywyll ydi'r blodyn, ac mae'r dail gwyrdd yn hir, yn agos at y ddaear, gyda llinellau hir amlwg ar eu hyd.

*Dydd Mercher, 22 Mai*
Diwrnod pen-blwydd Ifan. Gwynt a glaw drwy'r dydd, ac eto mae popeth yn deilio a blodeuo er gwaetha'r tywydd oer. Fe flodeuodd y goeden afalau bwyta yn yr ardd isaf ac mewn ambell lecyn cysgodol mae blodau i'w gweld ar y ddraenen wen. Mae blodau'r sycamorwydden yn amlwg iawn bellach, yn diferu fel pibonwy gwyrdd o'r dail mân. Nifer o flodau bychain sy'n creu'r pen ac maen nhw'n arllwys i lawr o'r brigau.

*Dydd Iau, 23 Mai*
Bore heulog, gwyntog ond daeth y glaw ar ôl cinio. Yn ôl y sôn dyma'r mis Mai oeraf ers cryn chwarter canrif. Treulio rhan o'r pnawn yn gwylio mwyalchen yn casglu bwyd yng Nghae'r Wern. Roedd o'n andros o brysur. I mi, roedd ei big melyn yn ymddangos yn llawn dop eisoes ond dal ati i sboncio roedd o a hela mwy. Rydw i wedi'i weld o o'r blaen, ac yn siŵr fod ganddo nyth yn y clawdd yng Nghae'r Wern ond fedra i yn fy myw ddod o hyd iddo.

*Dydd Llun, 27 Mai*
Diwrnod Gŵyl y Banc, a diwrnod cyntaf Eisteddfod yr Urdd Bro Maelor. Diolch byth am ddiwrnod sych a heulog. Does dim byd

gwaeth na Steddfod yr Urdd sy'n dechrau'n wlyb i'r plant bach.

Treulio'r bore yn gwylio gwenoliaid y bondo yn gwanu'r awyr uwchben Cae Twm. Mae eu nyth dan y bondo yn Nhŷ Capel ac rydw i wedi treulio oriau'n cael pleser mawr o'u gwylio'n mynd a dod tra'n cario bwyd i mewn ac allan dan fargod y tŷ. 'Cario cig i'r côr cegau,' chwedl Dic Jones.

Ar ei haden y mae gwennol y bondo'n casglu ei bwyd, sef pryfetach o bob math. Dydi hi ddim bob amser yn hawdd gwahaniaethu rhwng yr wennol a gwennol y bondo pan fo'r ddwy ar yr aden ond mae gan gwennol y bondo grwmp gwyn a dydi'i chynffon ddim mor bigfain a fforchog ag un yr wennol. Mae cyfeillgarwch a chysylltiad gwennol y bondo â dyn yn mynd yn ôl ganrifoedd. Cyfeirir ati gan Shakespeare yn *Macbeth* (Act 1, Golygfa 6) *'no jutty, frieze, buttress, nor coign of vantage, but this bird hath made his pendent bed . . .'*

Ond wrth reswm, cyn i ddyn ddechrau byw mewn tai, cartref gwennol y bondo oedd y mynyddoedd neu glogwyni glan y môr. Mwd ydi'r prif gynhwysydd wrth adeiladu'r nyth ac yn aml iawn mae'r aderyn yn dychwelyd i'r un nyth yn union dan y bondo ar ôl gaeafu yn Affrica, a hynny flwyddyn ar ôl blwyddyn. Mae'r iâr a'r ceiliog yn adeiladu'r nyth ac yn defnyddio gwelltglas crin yn gymysg â'r mwd, a'i leinio wedyn â phlu esmwyth. Un broblem sy'n wynebu gwennol y bondo ydi fod aderyn y to yn gallu dwyn y nyth a'i ddefnyddio iddo'i hun. Rhyw bedwar i bum wy fydd yr iâr yn ei ddodwy a'r rheiny'n rhai gwyn, sydd, fel rheol, yn deor mewn rhyw bythefnos.

Noson eithriadol o braf heno a phenderfynu mynd draw i Gemlyn am dro. Nefoedd o le ydi'r traeth hwn o gerrig a chregyn mân ar arfordir gogleddol Ynys Môn. Mae'n un o Warchodfeydd Cymdeithas Byd Natur Gogledd Cymru, ac yn fangre arbennig i'r morwenoliaid. Fel arfer, fe ellir cerdded ar hyd y llwybr gan ochr y llyn a chroesi'r rhyd yn y pen draw i gerdded ymhellach i'r trwyn ond, yr adeg hon o'r flwyddyn, mae'r Gymdeithas Byd Natur yn cau'r llwybr ac yn gosod pyst i gadw pawb draw o'r gefnen raeanog er mwyn i'r adar gael llonydd i nythu. Mae'r Wardeniaid yn ofalus iawn o'r adar ac mae'r fan yma yn un o'r lleoedd pwysicaf yng Nghymru i'r morwenoliaid fagu. Roedd y forwennol bigddu yno heno a'r melyn ar ei big yn amlwg iawn, a'i ben yn ddu ac yn union fel rhyw hogyn ysgol heb gribo'i wallt yn y bore a hwnnw'n sefyll i fyny'n bigau i gyd yn y cefn. Dydyn nhw ddim wedi dechrau nythu'n iawn eto ond yn paratoi i wneud hynny. Mae Cemlyn yn arbennig am fod pedair gwahanol forwennol yn nythu yma, sef y forwennol bigddu, y forwennol gyffredin, morwennol y gogledd, ac weithiau y forwennol wridog. Ychydig o barau o'r forwennol wridog sy'n nythu yma a chan fod iddi bwysigrwydd rhyngwladol rhaid ceisio cynnal gwyliadwriaeth bedair awr ar hugain i ddiogelu'r nythod. Hyd yma rhyw ddau aderyn sydd wedi eu gweld eleni.

Roedd y llyn yn llonydd braf heno heb awel i roi crych ar y dŵr, a phâr o elyrch yn nofio'n osgeiddig yr ochr draw. Yn nes yma roedd pâr o gwtieir yn symud yn swnllyd o gwmpas eu nyth ac ar lan y dŵr roedd hwyaden wyllt yn bictiwr o liwiau glas, gwyrdd a brown, a'r rheiny'n disgleirio yn y machlud.

Mae'n olau chwarter wedi deg heno a'r lleuad yn dri chwarter llawn.

*Dydd Mawrth, 28 Mai*
Daeth dwy durtur dorchog i fwydo ar ben y wal heddiw. Mae'r durtur yn aderyn addfwyn, gosgeiddig, tlws, a'i gefn yn llwydfrown hefo'r plu ar flaen yr aden yn frownddu. Ond yr hyn sy'n gwneud yr aderyn yn arbennig ydi'r hanner coler o las tywyll am ei wddf, yn gwrthgyferbynnu â phlu llwyd-binc y frest. Roeddwn i wedi meddwl eu bod am nythu yn yr hen goeden fawr sydd rhwng y Wern a ninnau ond wnaethon nhw ddim. Rhaid eu bod wedi darganfod rhywle gwell heb fod yn rhy bell os ydyn nhw'n dod yn ôl i chwilio am fwyd.

*Dydd Mercher, 29 Mai*
Eisteddfod yr Urdd heddiw. Llond bws ohonon ni'n mynd yn blygeiniol tua Bro Maelor.

Roedd dyfrgwn ar y maes ym mhabell Dŵr Cymru. Ew, maen nhw'n bethau call, bywiog yr olwg. Mae'r dyfrgi yn prysur adfeddiannu'r tir a gollwyd ganddo ers y chwedegau, diolch i'r gwaith da a wnaed gan gadwraethwyr yn pregethu neges pwysigrwydd dŵr glân. Fe ddylai'r neges fod yn gwbl amlwg i bawb wrth gwrs, ac eto rydyn ni'n mynnu llygru'r afonydd a'r tir. Mae'n debyg mai Rachel Carson yn ei llyfr *Silent Spring* a dynnodd sylw pobl gyntaf at y difrod a wnaed yn America drwy orddefnyddio cemegau ar y tir, ond fe aeth blynyddoedd heibio, degawdau yn wir, cyn i lywodraethau ddechrau creu deddfau i atal llygredd.

Nid rhai gwyllt oedd y ddau ddwrgi ym mhabell Dŵr Cymru ond rhai tramor â'u cartref bellach yn y Cotswolds. Roedd ganddyn nhw tua milltir o afon yn gynefin ond, i bob pwrpas, rhai anwes oedden nhw. Nid eu bod yn annhebyg o ran pryd a gwedd i'r rhai gwyllt. Maen nhw'n anifeiliaid llyfndew, hir hefo cynffon hir, o liw brown tywyll, budr heblaw am fol gwyn.

Mae pen y dyfrgi yn fawr ac yn wastad ac mae ei weld yn nofio yn bleser pur. Mae'n gwbl gartrefol yn y dŵr ac yn gadael siâp V ar ei ôl yn union fel cwch yn symud ar lyn llonydd. Mae ei draed yn weog hefo pum bys ar bob troed. Yn y dŵr mae'n defnyddio'i draed blaen i nofio ar yr wyneb. Fe all nofio ar gyflymder o tua 12 km/awr a nofio o dan y dŵr am tua 400 llath heb ddod i fyny am aer. Dydi o ddim mor hapus ar y tir. Creadur y nos ydi o ac fe fydd yn treulio'r dydd mewn rhyw dwll ar y dorlan lle caiff lonydd. Anifeiliaid tiriogaethol sy'n marcio eu tiriogaeth â baw ydyn nhw ac mae faint o dir sydd ei angen arnyn nhw yn dibynnu ar y tirwedd ac ar faint o ddŵr rhedegog sydd ar gael. Ymhlith y gwrywod mae yna un sy'n ben ac, yn union fel ieir ar fuarth y ffarm, mae pob un arall yn gwybod ei le oddi mewn i'r drefn. Mae maint eu tiriogaeth yn dibynnu ar eu safle yn yr hierarchaeth. Mae'r fanw hefo cenawon yn cael llonydd gan y dyfrgwn eraill. Pysgod, cramenogion a phryfed dŵr ydi eu bwyd.

*Dydd Iau, 30 Mai*
Bore braf ond fe gododd y gwynt yn ystod y dydd ac erbyn nos roedd yn hyrddio gwynt a glaw. Mae pennau blodeuog wedi ymddangos ar y gelynnen ac erbyn hyn mae clystyrau bach gwynion i'w gweld drosti i gyd. Mi dorrais sbrigyn a dod â fo i'r tŷ i gael gwell golwg ar y blodau. Blodyn bach gwyn ydi o, fawr mwy nag ewin bys bach babi, hefo pedwar petal gwyn, ond gan fod o leiaf ugain o flodau mewn clwstwr fe'u gwelir o bell. Yn anffodus i mi, blodau gwrywaidd ydi'r rhain a'r antherau sy'n amlwg yn hytrach na'r stigma benywaidd. Mi fuaswn i wrth fy modd yn cael coeden fenywaidd yn yr ardd. Dydi bywyd yn galed?

59

## Dydd Gwener, 31 Mai

Diwrnod eithriadol o wyntog a'r goeden afalau cwcio wedi cael ei dymchwel gan y gwynt. Mae'r pren afalau bwyta yn ei ogoniant erbyn hyn, yn gawod o betalau gwyn hefo gwawr goch ar ochr isaf y petal, a'r antherau yn y canol yn lliw oren-frown cyfoethog. Mae clwstwr o ryw bum blodyn hefo'i gilydd. Bydd garddwyr sydd am gael afalau bwyta tebyg i rywbeth ddiwedd yr haf yn mynd ati i dynnu rhai o'r blodau gan adael rhyw un neu ddau ar y mwyaf er mwyn cael afalau o faint bwytadwy. Fedra i ddim gwneud hyn. Fedra i ddim meddwl am ddinistrio'r harddwch hwn yng ngwaelod yr ardd. Gwell gen i fwynhau'r blodau am ychydig ddyddiau bob dechrau haf a byw heb afalau!

PREN AFAL SUR
*Malus sylvestris*

# MEHEFIN

TELOR YR HESG
*Acrocephalus schoenobaenus*

## Dydd Sadwrn, 1 Mehefin

Eisteddfod yr Urdd eto heddiw. Treulio'r bore yn y rhagbrawt ym Mryn Offa, a'r pnawn ar y maes yn y Ffenant. Roedd derwen hardd yng nghanol y maes a honno'n dechrau deilio ac yn prysur newid ei lliw o felynwyrdd i wyrdd tywyllach.

Sylwi wrth deithio ar hyd y draffordd fod y ddraenen wen bellach yn ei gogoniant a'r gwrychoedd yn gasgedau o lendid gwyn. Mae'n amlwg fod polisi o hadu blodau gwylltion ar hyd yr A55, gan fod briallu Mair yn ffrydiau melyn ar ddwy ochr y ffordd am filltiroedd lawer. Blodyn arall sydd bellach yn ei flodau ydi'r llygad llo mawr. Mae'r petalau gwynion o gwmpas y canol melyn yr un ffunud â llygad y dydd ond mae'n llawer mwy a thua'r un maint â llygad llo mae'n debyg.

Daeth yn law heno.

## Dydd Sul, 2 Mehefin

Bore braf ar ôl glaw neithiwr a phopeth wedi ei olchi'n lân. Mynd i'r ardd fore heddiw gan ei bod yn gynnes a gweld iâr fach y fagwyr yn oedi ar y nad-fi'n-angof glas. Roedd haid o'r fêl wenynen yn mela yn y goeden afalau.

Mynd am dro ar ôl te ar hyd y lôn gefn am Bentraeth cyn belled â Chors Bodeilio, a throi drwy'r gors i gyfeiriad Pen Bryn ac yn ôl drwy Lôn Fron Deg. Roedd nifer o loynnod i'w gweld ar hyd y ffordd; mae'n amlwg ei bod bellach yn ddigon cynnes iddyn nhw fentro allan. Roedd boneddiges y wig allan am dro. Glöyn bach tlws ydi hwn, un gwyn hefo blaen aden y gwryw yn lliw oren. Dyna'r rheswm iddo gael yr enw 'Orange Tip' yn Saesneg. Roedd yr iâr wen fawr ar ei thaith hefyd ac yn hofran yn ysgafn o'r naill flodyn i'r llall ger ochr y ffos.

Roedd telor yr hesg i'w glywed yng Nghors Bodeilio, a'r troellwr bach, ac uwchben roedd dau gylfinir yn rhwyfo a rhwygo'r awyr â'u cri hunllefus, hudolus. Roedd pâr o wenoliaid yn hedfan uwchben llyn yng nghanol y gors a bob hyn a hyn yn chwipio wyneb y dŵr wrth hela'u bwyd, nes bod cylch ar ôl cylch o donnau'n ymledu dros wyneb y llyn. Mae yna gred fod glaw ar ddod os ydi'r wennol yn hedfan yn isel, ac o weld pa mor agos oedd mynyddoedd Eryri heno, synnwn i fawr na fydd yn bwrw glaw erbyn bore 'fory.

Gosododd y Cyngor Cefn Gwlad lwybr pren ar draws y gors fel bod modd cerdded arno a mwynhau'r creaduriaid a'r phlanhigion heb ddifetha'r bywyd gwyllt. Roedd carpiog y gors yn ei flodau pinc, carpiog. Enwau Cymraeg eraill arno ydi robin garpiog, robin racs, blodau'r brain a ffrils y merched.

Roedd y tegeirian rhuddgoch yno hefyd. Fel sawl tegeirian arall, pen cyfansawdd o flodau sydd ganddo, a phob un o'r blodau bychain wedi eu haddasu'n gain: mae un petal wedi ei addasu i ffurfio gwefus isaf, dau o bobtu yn feinach ac yn gulach, a'r un uwchben yn ffurfio rhyw fath o ymbarél dros y cyfan.

Nosi'n braf heno a'r Eifl i'w weld yn glir.

## Dydd Llun, 3 Mehefin

Bore oer o wynt a glaw. Roedd y mynyddoedd yn rhy agos neithiwr. Mynd i lawr Lôn Capel am dro i gael gwynt a sylwi bod llys y llwynog yn amlwg yn y cloddiau. Blodyn bychan, pinc ydi o hefo pum petal a choes frowngoch hefo ychydig o flew yn tyfu arni, a'r goesgoch ydi un enw arno. Blodyn cyffredin iawn yn y gwrychoedd ac yn ei flodau o thua mis Ebrill tan tua mis Hydref.

Mae bonet nain yn ei flodau erbyn hyn ac yn tyfu gyferbyn â Nyth ac yn ymyl Dafarn Dirion. Rydw i'n cofio'i weld o yn y fan yma pan oeddwn i'n blentyn yn rhedeg i lawr Lôn Capel i chwarae hefo genod Dafarn Dirion ar ôl yr ysgol. Fe fydd yn blodeuo flwyddyn ar ôl blwyddyn ac yn hoffi tir calch. Blodau'r sipsi ydi'r enw gan Dafydd Davies arno ond mae'n well gen i'r enw bonet nain am ei fod yn well disgrifiad o'r blodyn, sydd yn debyg i fonet glas, hen ffasiwn.

Ceir gweddw galarus yn tyfu ar Lôn Capel, cyn cyrraedd Taleilian. Mae'n tyfu uwchben y glaswellt ym môn y gwrych — rhyw droedfedd neu ddwy o uchder fel rheol, ond dydi o ddim yn blanhigyn cynhenid. Pum petal sydd i'r blodyn a'r rheiny'n biwsddu — lliw anarferol i flodyn, er bod canol y petal yn wyn. Mae golwg melfedaidd ar y petalau.

Roedd y gwningen fach yn bwydo yng Nghae Twm eto pnawn 'ma er gwaetha'r gwynt a'r glaw a hyrddiai o gyfeiriad Malltraeth.

*Dydd Mawrth, 4 Mehefin*
Diwrnod braf o wynt a heulwen. Mynd draw i Landudno am dro. Mae'r banadl yn tyfu ar y creigiau a'r llechwedd ar ffordd osgoi Bangor wedi pasio'r tro am lôn Caernarfon. Tyfu'n llwyn mae'r banadl a'i flodau melyn hardd yn cystadlu â'r eithin am le ar y llechwedd. Mae arogl cwbl nodweddiadol iddo. Fe fyddai llwyn ohono'n tyfu y tu allan i Rendel, un o neuaddau'r merched ym Mhen Bryn yng Ngholeg Aberystwyth, a bob haf, pan fyddai'n amser arholiadau, mi fyddwn i'n dechrau tisian wrth ddod allan drwy'r drws ochr a phasio'r banadl. Dyma'r drws y byddwn i'n ei ddefnyddio fel rheol i fynd i fyny i'r Neuadd Fawr i sefyll arholiadau a byth ers hynny rydw i wedi ei gysylltu ag arholiadau! Fe'i defnyddir at drin cyhyrau'r galon — ond dim ond os gwyddoch chi sut i'w ddefnyddio. Fe fydd rhai pobl yn hoffi bwyta'r blodau mewn salad, ond fuaswn i ddim yn hoffi mentro — mae'n blanhigyn gwenwynig.

*Dydd Mercher, 5 Mehefin*
Mae'r goeden tresi aur yn diferu ei blodau dros yr ardd bellach, a'r onnen fawr yn yml y capel bron iawn wedi gorffen deilio erbyn

hyn. Hon fydd yr olaf bob blwyddyn ac erbyn iddi fod yn ei chôt newydd fe fydd popeth arall wedi gorffen deilio.

*Dydd Iau, 6 Mehefin*
Gweld mwyalchen ar y lôn fawr gyferbyn â'r tŷ yn prysur guro malwoden yn erbyn y tarmac er mwyn agor y gragen. Un ffordd o chwilio am yr aderyn du a darganfod ei arferion ydi chwilio am dwr o blisgyn wrth ymyl carreg.

*Dydd Gwener, 7 Mehefin*
Mynd draw i Gors Bodeilio yng nghwmni Les Colley, Warden y Cyngor Cefn Gwlad. Fe ddechreuodd Cors Bodeilio gael ei ffurfio pan oedd yr iâ yn dadmer ddiwedd yr Oes Iâ ddiwethaf gan adael rhyw ychydig o hafn fas yng nghanol y tir isel, gwastad; ac yn y fan yma fe ffurfiwyd llyn. Am tua 7,000 o flynyddoedd roedd y llyn yn llenwi'n araf â mawn, a'r mawn yn ei dro'n cael ei greu o weddillion marw brwyn, corsennau a hesg i ffurfio'r gors. Mae hon yn arbennig am fod cymaint o dir calch o gwmpas a digon o ddŵr yn codi ac yn rhedeg i'r gors, gan gadw'r cynefin yn galchog yn hytrach nag yn asidig. Y Cyngor Cefn Gwlad sy'n berchen rhannau helaeth o'r gors bellach ac maen nhw'n cadw merlod mynydd Cymreig yno i ysgogi tyfiant nifer o flodau.

Roedd telor yr hesg yn cadw coblyn o stŵr wrth i ni groesi'r gors. Rydw i'n siŵr fod ei nyth o mewn llwyn helygen Fair oedd yn tyfu'n weddol agos at y llwybr. Fel rheol mae'n adeiladu nyth yng nghanghennau isaf y llwyn sydd eto'n ddigon uchel i fod uwchben y dŵr yn y gors. Nyth o wair a brwyn a deunyddiau o'r gors ydi o, ac fe fydd yn dodwy rhyw bump

IRIS FELEN
*Iris pseudacorus*

o wyau melynwyrdd a sbotiau brown arnyn nhw. Roedd o'n protestio'n groch ar un o frigau uchaf y llwyn, a'i fron lwyd golau yn amlwg iawn, a'r streipen hir lliw hufen golau uwchben y llygad. Yn Affrica y bydd yr aderyn bychan hwn yn gaeafu ac fe fydd yn bwydo'n helaeth gogyfer â'r daith bell i'r gogledd, gan ddyblu ei bwysau bron cyn cychwyn. Fe fydd yr ynni yma'n cael ei ddefnyddio wrth groesi Diffeithwch y Sahara a Môr y Canoldir mewn un ehediad hir. Rhyfedd meddwl ei fod o wedi gweld llefydd na fedra i ddim ond breuddwydio amdanyn nhw.

Roedd y ceineirian yn tyfu ar ochr y llwybr ym mhen draw'r byrddau pren sy'n croesi'r gors, ond doedd o ddim yn ei flodau eto. Heb fod ymhell roedd Siani flewog eithriadol o dlos — un frown tywyll hefo dwy res o fotymau aur a marciau du i lawr ei chefn.

Mae'r helygen wiail yn tyfu'n lleol yn y gors ac mae gwawr borffor i'r dail. Fel mae'r enw Cymraeg yn ei awgrymu fe ddefnyddir hon ar gyfer gwneud gwiail ac mae'n debyg ei bod yn arferiad gwneud basgedi allan ohoni.

Roedd tegeirian y pryfyn yn ei flodau. Blodyn rhyfeddol ydi hwn. Dyma'r unig le yng Nghymru lle mae'n tyfu mewn cors. Lliw melfedaidd brown-piws-ddu ar siâp gwenyn ydi'r blodyn ac yn cael ei beillio gan un rhywogaeth o wenyn yn unig, a hynny pan fo'r gwenyn yn ceisio paru ag o gan feddwl ei fod o'r un rhywogaeth â nhw. Wedyn fe fydd dau docyn o baill yn glynu wrth gôt y gwenyn ac yn cael eu cario i flodyn arall. Mae'r ffordd mae hwn wedi datblygu er mwyn cael ei beillio yn y dull yma yn gwbl anhygoel. Sut y gŵyr y blodyn sut i ffurfio siâp y petalau i edrych yn union fel gwenyn — ac fel un rhywogaeth o wenyn yn unig? Hyd y gwyddom ni does dim ymennydd ganddo. Sut felly mae o'n gallu meddwl fod yn rhaid iddo fod yn debyg i'r gwenyn er mwyn cael ei beillio? Pan fydda i'n gwybod yr ateb i'r cwestiwn hwn, fydd yna ddim dirgelwch ar ôl ym myd natur.

### Dydd Sadwrn, 8 Mehefin

Diwrnod braf, yn union fel diwrnod o haf! Mynd am dro heno hefo Elwyn, Bryn a Lois i Laneilian, a cherdded darn o lwybr yr arfordir — llwybr Treftadaeth Môn. Sant o'r chweched ganrif a laniodd ym Mhorth yr Ychen hefo'i deulu, ei wartheg a'i holl eiddo tra oedd ar ei ffordd i Rufain oedd Eilian. Yn ddiweddarach fe sefydlodd eglwys yma — Eglwys Llaneilian. Roedd yn noson glir braf. Y môr yn las yn y bae oddi tanom a dau gwch yn siglo'n ddiog wrth angor. Edrych draw am drwyn Lynas a gweld y gwylanod yn codi a glanio'n ddiddiwedd ar y clogwyni. Mynydd Eilian y tu ôl inni yn batrymau o fythynnod gwyn ac eithin melyn a mynyddoedd Eryri ar eu gorau. Roedd cynffonnau gwynt yn hel uwchben — arwydd o law yfory tybed?

Roedd gwennol ddu yn hedfan uwchben y bae. Mae'r wennol ddu yn ymddangos yn ddu i gyd ac yn gallu dal cannoedd o bryfed wrth agor ei phig yn fawr. Fe dreulia'r rhan helaethaf o'i hoes ar yr aden ac fe all hedfan miloedd o filltiroedd gan fwyta, cysgu a hyd yn oed paru ar yr aden ambell dro.

Roedd pen y clogwyni'n drwch gan glystyrau o'r glustog Fair a'r ddeilen gron, ac roedd meillion, chwerwlys yr eithin a gwenith y gwylanod yn gwenu ymhobman. Roedd y creigiau'n drwch o gen cerrig — rhai gwyn, llwyd, gwyrdd ac oren, a'r haul yn disgleirio ar y dŵr draw i gyfeiriad Caergybi.

Roedd yn noson ogoneddus ac rydw innau yn ddigon plwyfol i gredu nad oes yna unman harddach yn y byd nag Ynys Môn. Ar noson fel heno, rydw i'n hollol siŵr fy mod i'n iawn!

### Dydd Mercher, 12 Mehefin
Diwrnod braf heddiw. Mynd i ganfasio i Bentraeth heno a gweld cwningod yn chwarae'n hapus braf wrth ochr y ffordd am Hendre Hywel. Roedd tair o rai bach yno yn sboncio'n ôl ac ymlaen i'r tyfiant tal wrth ochr y gwrych.

### Dydd Iau, 13 Mehefin
Diwrnod bendigedig o braf. Chwarae yn yr ardd pnawn 'ma hefo Ian a Luned. Roedd yn hyfryd clywed y gwenyn yn hymian yn y tresi aur. Mynd am dro wedyn i fyny Lôn Rysgol i nôl Bryn a Lois adref o'r ysgol. Fe gafodd Ian hyd i foch coed ar y lôn a doedd byw na marw na châi o eu casglu a mynd â nhw adref i Mam. Fe gafodd wneud, a chael darn o redyn i afael ynddo, ond fe 'larodd ar gario hwnnw

### Dydd Sadwrn, 15 Mehefin
Cael diwrnod gwych iawn yng nghwmni Goronwy Wynne ac aelodau eraill Cymdeithas Edward Llwyd yn edrych ar y gweiriau.

Mae'r gweiriau mor bwysig i ni fel ffynhonnell bwyd ac eto prin ein bod ni'n cymryd sylw ohonyn nhw o gwbl, heblaw am gwyno yn ystod misoedd yr haf ei bod yn amser torri'r lawnt unwaith eto.

Mae'r cnydau fel gwenith, haidd, ceirch, india-corn a rhyg i gyd wedi datblygu o weiriau i ddechrau. Yn nyffryn Tehuacan ym Mexico tua 5000 CC y gwelwyd india-corn yn cael ei 'amaethu' am y tro cyntaf, ac mae'n bur debyg mai yn y Cilgant Ffrwythlon rhwng afonydd Ewffrates a Thigris rhywle tua 5500 CC y defnyddiodd yr 'amaethwr' cynnar fathau cyntefig o wenith. Anodd ydi bod yn hollol siŵr sut y tyfodd ac y datblygodd gwenith ond mae'n bosib fod yna un gweiryn wedi datblygu hadau mwy nag arfer. Dyn wedyn yn darganfod fod hwn yn hawdd i'w dynnu a'i fwyta a'i ailblannu, a chyn pen dim o dro roedd ganddo stoc o fwyd defnyddiol dros ben iddo fo a'i deulu.

Roedd yn hynod ddiddorol cael ein dysgu i wahaniaethu rhwng y gweiriau a hynny ar sail y llabed. Fel rheol, darn bach o dyfiant gwyn rhwng y coesyn a'r llafn ydi hwn. Mae gan bob gweiryn un ac mae'n gwbl nodweddiadol o'r gwair arbennig hwnnw.

Y gwair y soniodd Goronwy amdano oedd rhygwellt. Un arall oedd coes y ceiliog ac un ffordd o adnabod hwn ydi rhedeg y llaw yn ysgafn i fyny'r coesyn — mae'n teimlo'n arw i'w gyffwrdd.

Fe gawsom gyfle hefyd i ddringo llethrau Moel Arthur, rhyw 1000-1200 troedfedd uwchlaw'r môr, a gweld y brigwellt main yn tyfu yno. Mae'r llabed ar y gweiryn hwn yn biws, a'r blaen yn wyn ac yn fforchog. Ochr yn ochr â'r brigwellt main roedd peisgwellt y defaid yn tyfu. Mae'r ddau weiryn yn debyg iawn i'w gilydd ond bod y llabed yn wahanol. Dim ond rhyw esgus o haen wen sydd gan y peisgwellt, a dyma'r unig ffordd i'w gwahaniaethu mewn gwirionedd.

Y gawnen ddu oedd un arall o weiriau'r ucheldir. Enw Cymraeg arall arno ydi cas gan bladurwr ac mae'n enw gwych am ei fod yn debycach i wifren na gweiryn. Does dim gwerth amaethyddol iddo ac yn aml iawn fe fydd yn tyfu ar dir sâl nad oes modd ei droi. Mae bonion y coesau wedi eu pacio'n agos at ei gilydd dan wyneb y pridd.

*Dydd Llun, 17 Mehefin*
Diwrnod braf arall. Mae'r ddraenen wen wedi bod yn arbennig eleni, a'r gwrychoedd yn wyn llachar ers tro bellach a dim ond rŵan mae'r

blodau'n dechrau marw. Tybed beth ydi'r rheswm pam ei bod yn llawn blodau? Ai'r tywydd oer a gawsom ni ddechrau'r flwyddyn? Mae rhai planhigion angen tymheredd oer y gaeaf cyn y gwnân nhw flodeuo ond doeddwn i ddim yn meddwl fod y ddraenen wen yn un o'r planhigion hynny.

## Dydd Mawrth, 18 Mehefin
Deffro am bum munud i dri fore heddiw. Roedd y wawr eisoes wedi torri. Wnes i ddim codi!

Mae'r rhosyn gwyllt wedi agor yn y gwrych gyferbyn â ffenest y gegin. Mae lliw pinc cyfoethog iddo hefo pum petal a'r petalau'n fforchog, a'r canol yn gylch o antherau lliw melyn-oren cryf. Hawdd iawn ydi gwneud camgymeriad hefo'r rhosynnau gwylltion gan fod yna rai degau ohonyn nhw'n tyfu'n gyffredin yng ngwledydd Prydain. Ond un peth sy'n sicr, arwydd pendant iawn o'r haf ydi hwn.

## Dydd Iau, 20 Mehefin
Diwrnod braf arall, haul ac awel.

Sylwi ar ddau aderyn du yn yr ardd pnawn 'ma. Roedd un yn lliw du, tywyll a'i big yn felyn, felyn a'r llall ychydig yn fwy brown ei liw a'r pig heb fod mor felyn. Roedd yr un tywyll yn brysur yn sboncio o gwmpas ar y borfa yn casglu bwyd hynny fedra fo, a'r llall yn ei ddilyn ryw hanner cam y tu ôl gan weiddi am fwyd. Llwytho a llwytho pryfetach i'r pig barus, disgwylgar roedd yr hen dderyn a'r llall yn mynnu bwyd a sylw ac yn rhyw ddechrau tyrchio'r glaswellt ei hun.

Gyda'r nos sylwais ar rywbeth yn sleifio ar draws y glaswellt yng nghae'r Wern. Meddyliais i ddechrau mai cath oedd hi ond roedd ychydig yn rhy fach i hynny ac yn symud yn arafach. Dyma fynd i lawr ac ar draws y cae i gael gwell golwg. Draenog oedd o, ac un mawr hefyd. Mi fûm i'n ei wylio am sbel cyn iddo sylweddoli fy mod yno ac yna fe rowliodd yn belen gron. Bobol, roedd ganddo wyneb bach call yr olwg, hefo'i ddau lygad bywiog, du. Roedd y pigau ar ei gefn yn hir a brown a'r blaen yn lliw hufen golau. Perthyn i'r urdd *Insectivora*, sef anifeiliaid bach sy'n bwyta pryfetach o bob math, mae'r draenog. Mae'n ddigon posib mai un fanw yn disgwyl rhai bach oedd hon a welais i gan eu bod nhw fel arfer yn cario yn ystod misoedd yr haf. Mae'r fam yn rhoi genedigaeth mewn nyth gweddol fawr sydd wedi ei wneud yn arbennig i fagu'r rhai bach, ac fe fydd yn rhoi sugn i'r epil am ryw fis ar ôl eu geni.

## Dydd Gwener, 21 Mehefin

Y dydd hwyaf, a throad y rhod. Diwrnod braf arall, y mynyddoedd yn glir, a'r cymylau gwyn, boliog yn bwrw eu cysgodion tywyll arnyn nhw. Mae'n dal yn olau am hanner awr wedi un ar ddeg heno ac mae rhimyn main o leuad wedi codi.

## Dydd Sadwrn, 22 Mehefin

Cymylog heddiw a'r gwynt o'r Gogledd-orllewin, ond yn brafio at ddiwedd y pnawn a'r haul yn dod i'r fei. Mynd draw hefo Lois i Ynys Lawd gan obeithio gweld cywion rhai o'r adar môr. Buom yn ddigon ffodus i weld cywion gwylan y penwaig yn cerdded o gwmpas. Roedd un gweddol ifanc ar ei ben ei hun ac yn edrych yn union fel pelen fach o wlân llwyd hefo marciau duon. Roedd yn guddliw da am ei fod yn ymdoddi i'r graig a oedd yn llwyd a gwyn gan faw yr adar. Yn ei ymyl roedd pentwr blêr o wair, sef ei nyth mae'n debyg, ond mae'n gadael y nyth o fewn ychydig oriau ar ôl ei ddeor ac yn cerdded o gwmpas ar y graig. Mae'r iâr a'r ceiliog yn ymorol i ofalu amdano ac maen nhw hefyd yn gofalu eistedd ar yr wyau bob yn ail. Fel rheol tri wy lliw brownwyrdd hefo marciau brown mae'r iâr yn ei ddodwy, a thri chyw yn deor o'r wyau. Mewn llecyn arall ar y graig roedd tri chyw ychydig bach yn hŷn na'r cyntaf a welsom. Does dim cywion eto gan y llurs na'r gwylog.

Roedd ochr y graig yn hardd iawn hefo'r gludlys arfor yn fantell wen a'r grug yn borffor llachar. Fe ddaeth yr haul allan i ddisgleirio ar y dŵr tra oeddem ni yno. Roedd palod yn ogystal a gwylogiaid a llurs yn nofio yn y môr glas, disglair islaw'r creigiau.

## Dydd Sul, 23ain Mehefin

Y Gymanfa yn Llangristiolus. Sylwi bod y ddeilen gron yn tyfu'n niferus ar y cloddiau yn y lonydd cefn o gwmpas y capel. Roedd yn ei blodau, ac mae'r blodau'n nodedig — yn tyfu'n dal uwchben y dail fel clychau lliw hufen ar hyd y goes. Ceir sawl enw ar y blodyn hwn yn Saesneg — 'Dandy', 'Navelwort' a 'Pennywort' ydi rhai ohonyn nhw, a'r enw 'Navelwort' yn un disgrifiadol da gan fod y ddeilen yn edrych yn union fel botwm bol, ac yn wyrdd sgleiniog.

Roedd briweg y cerrig yno hefyd yn dwmpathau lliwgar ar y waliau cerrig. Enw arall a glywais i gan Wil Jones, Croesor ar y blodyn hwn ydi gwenith y brain ac rydw i'n dotio ato. Mae'n ffitio'n berffaith — y dail yn union fel gronynnau bach o wenith ac, wrth gwrs, yn perthyn i'r un teulu â gwenith y gwylanod.

### Dydd Llun, 24 Mehefin

Diwrnod cymylog ond fe gododd yn braf ar ôl cinio. Mynd draw i Bentraeth heno a gweld pys llygod yn tyfu ar ochr y ffordd. Mae'r planhigyn hwn yn debyg iawn i'r pys sy'n tyfu'n gyffredin yn yr ardd ond eu bod yn llawer llai. Mae'r dail yn debyg iawn a'r tendrilau ar ben blaen y ddeilen. Blodau piws sydd iddo, ac unwaith eto, mae'r un siâp â blodau'r pys hefo'r petalau wedi eu haddasu fel bod y rhan isaf yn gwneud llwyfan i bryfetach lanio arno a'r rhan uchaf yn do uwchben. Ar ôl cael ei beilli fe fydd y blodyn yn gwywo a'r codau sy'n cario'r had yn datblygu — unwaith yn rhagor yn union fel pys gardd ond lawer iawn yn llai. Roedd pum coden wedi ffurfio ar ran isaf y planhigyn tra oedd y rhan uchaf yn dal yn ei flodau. Yn y goden isaf roedd naw o hadau bach i'w gweld wedi ffurfio.

Roedd poeri'r gog ar y blodyn yma hefyd. Mae hwn yn edrych yn union fel poer ond nid y gog sy'n gyfrifol ond yn hytrach pryfyn bach.

### Dydd Mawrth, 25 Mehefin

Lladd gwair heddiw yng nghae Tŷ Croes, a sŵn y peiriannau'n grwnian drwy'r ffenest agored. Mae'n wyllt yn y pentref i gyd o ran hynny, a phawb wrthi'n gwneud silwair hynny fedran nhw. Arogl hyfryd ydi arogl gwair newydd ei dorri, yn enwedig wrth fynd am dro gyda'r nos a hwnnw'n drwm ar yr awyr. Chwyth yr ŵydd sy'n gyfrifol am roi'r arogl hyfryd. Enwau eraill arno ydi melynwellt neu eurwellt, sy'n enwau disgrifiadol da gan fod rhyw wawr aur ar y gweiryn. Perwellt y gwanwyn ydi'r enw arno gan Dafydd Davies.

### Dydd Mercher, 26 Mehefin

Bwrw glaw'n ddistaw drwy'r nos neithiwr. Roedd wedi arafu erbyn y bore ac fe ddaeth yr haul allan ar ôl cinio.

Sylwais fod y llwynhidydd mawr yn ei flodau gan ochr y ffordd erbyn hyn. Mae blodau a dail hwn yn wahanol i'r llwynhidydd. Mae'r blodyn yn lledaenu ar hyd y goes am tua dwy i dair modfedd, yn dibynnu ar faint y planhigyn, ac mae'r dail yn fwy ac yn lletach na rhai'r llwynhidydd. Un o'r enwau ar y planhigyn hwn gan Dafydd Davies ydi dail llydan y ffordd, sy'n disgrifio'r dail a chynefin y blodyn yn dda iawn.   Roedd y feillionen felen fach yn tyfu yn ei ymyl — eto ar ochr y ffordd. Mae hon fel rheol yn tyfu'n glystyrau yn ymyl ei gilydd nes bod y pennau melyn (tua'r un maint ag ewin bys bach) sydd i'r blodau'n ymddangos yn un clwstwr mawr hardd. Ochr yn ochr roedd llys y cryman yn fach ac yn dlws ryfeddol. Blodyn lliw oren-goch hefo pum petal ydi hwn a phum anther melyn y tu mewn. Mae'r dail sy'n wyrdd cymharol dywyll yn tyfu gyferbyn â'i gilydd o bobtu'r goes. Enw Cymraeg arall arno ydi awrlais y dyn tlawd. Mae'n cael ei ddefnyddio mewn homeopathi i drin anhwylderau ar yr iau, ond rhaid wrth ofal am ei fod yn blanhigyn gwenwynig.

*Dydd Iau, 27 Mehefin*
Bore cymylog a'r haul yn gwneud ei orau i ddweud 'Helô'. Yr Eifl yn glir heddiw.
   Mae'r triaglog coch yn ei flodau ymhobman erbyn hyn, rhai hefo blodau gwyn a phinc a rhai hefo blodau coch, ac yn blanhigyn lluosflwydd sy'n tyfu'n dal ac yn ddigon cyffredin. Mae'r pen yn glwstwr o flodau bach sy'n ffurfio un pen cyfansawdd, a'r dail yn ddi-flew ac yn llwydwyrdd.

*Dydd Gwener, 28 Mehefin*
Pistyllio bwrw glaw drwy'r dydd, a'r cymylau'n drwm ac yn ddu uwchben. Mae llo bach coch a gwyn digon o ryfeddod wedi cyrraedd Cae Twm.

*Dydd Sadwrn, 29 Mehefin*
Diwrnod o haul a gwynt. Mynd draw ddiwedd y pnawn i weld gwarchodfa'r RSPB yng Nghonwy. Fe grewyd hon o'r holl rwbel a gloddiwyd pan oedd y twnnel dan Afon Conwy'n cael ei adeiladu. Mae'r llynnoedd dŵr croyw wedi eu creu yn gyfochrog ag Afon Conwy. Mae modd gwylio'r llynnoedd drwy ffenestri mawr y ganolfan newydd. Roedd cwtiar a'i chyw bach yn nofio'n fodlon braf ar y dŵr. Ar fin y llyn roedd cornchwiglen yn bwydo. Roedd yn hawdd ei hadnabod oddi wrth y pen copog, nodweddiadol. 'Criglod' fydd Dad yn eu galw nhw a phan oedd o'n blentyn fe fyddai yna hel garw ar wyau criglod. Chwilio ar lawr mewn llefydd

gweddol wlyb neu efallai ychydig o dir wedi ei aredig i gael gafael ar yr wyau — rhai a gwawr laswyrdd a brychni brown arnyn nhw. Bellach mae'r gornchwiglen yn cael ei gwarchod a dydi fiw i neb ddwyn a bwyta'r wyau.

Roedd yr wylan gefnddu leiaf a gwylan y penwaig yno hefyd yn chwarae yn y dŵr croyw, yn golchi eu plu ac yn yfed y dŵr glân. Fel roedden ni'n gwylio, fe hedfanodd creyr glas i lawr a glanio yn union o'n blaenau. Yn ôl y warden, mae tua deg pâr ar hugain yn nythu yn y coedydd ar draws yr aber. Roedd hwn yn dal pysgod yn osgeiddig tu hwnt; ei big melyn hir yn gwanu'r dŵr ac yntau'n ysgwyd ei ben yn gyflym wedyn, bron fel petai'n ymddiheuro am orfod gwneud rhywbeth mor iselradd â bwyta. Roedd o'n eithriadol o smart hefo'r cap du ar ei ben, yr adenydd llwydlas a'r rhimyn du fel band melfed i lawr ochr yr aden.

### Dydd Sul, 30 Mehefin

Mynd am dro ar hyd Lôn Bron Haul. Roedd y gwrychoedd yn llawn rhosynnau gwyllt. Y rhosyn gwyn gwyllt oedd un ohonyn nhw, a marchfiaren ymlusgol ydi un enw Cymraeg arall arno. Roedd y rhosyn draenllwyn yno hefyd. Dydw i ddim yn hoff o'r pigau mân sydd ar hwn ond mae'r dail gwyrdd golau'n hyfryd, a'r petalau lliw hufen yn eithriadol o dlws. Pum petal sydd i bob blodyn ac mae'r petalau unigol yn gwneud siâp calon. Perffeithrwydd mewn harddwch ydi hwn.

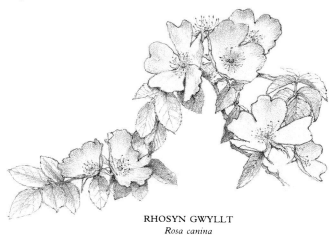

RHOSYN GWYLLT
*Rosa canina*

# GORFFENNAF

## Dydd Llun, 1 Gorffennaf

Mynd am dro ar hyd Lôn Ceint a sylwi bod y tegeirian brych cyffredin yn tyfu. Piws golau ydi lliw y tegeirian hwn hefo marciau piws ar y petalau, ac un smotyn amlwg piws tywyll melfedaidd ar y petal, sy'n ffurfio to dros y gweddill.

## Dydd Mawrth, 2 Gorffennaf

Diwrnod braf o wynt a heulwen. Mae'r gwyddfid wedi agor yn y gwrych ar hyd Lôn Capel. Dyma flodyn sy'n gyfarwydd iawn yn y gwrychoedd ac yn rhoi arogl bendigedig, yn enwedig ar awel y nos neu ar ôl cawod o law. Nifer o flodau bychan sy'n ffurfio pen y blodyn, a phob un ohonyn nhw wedi ei wneud o diwb petalau sy'n agor ar un pen yn ddwy ran. Mae'r tafod ar yr ochr isaf yn weddol hir a chul, ac mae'r darn uwchben, sy'n ffurfio rhyw fath o do, wedi ei droi yn ôl fel cwrlid gwely. Lwmpyn bychan gwyrdd fel pen pin ar goes hir ydi'r stigma. Ychydig islaw ceir yr antherau — pump ohonyn nhw — eto ar goesau gwyn gweddol hir yn dod allan o'r tiwb petalog. Mae gwawr goch ar y blodau sydd heb agor yn llawn ac mae cochni hefyd ar y tu allan i'r tiwb petalog. Y tu mewn, ar y llaw arall, maent yn felyn hufennog.

Yn blant, fe fydden ni'n torri'r blodau unigol ac yn sugno gwaelod y tiwb er mwyn blasu'r neithdar melys sy'n cuddio yno. Fe'i lleolwyd yno i bwrpas denu'r pryfed i beillio. Rhaid i'r pryfed wthio eu sugnyddion i lawr i waelod y tiwb i gael y neithdar, ac yn yr ymdrech honno fe fydd y paill o'r antherau yn glynu wrth eu cyrff, a phan symudan nhw i flodyn arall mae'r planhigyn yn sicrhau croesbeilliad.

## Dydd Iau, 4 Gorffennaf

Fe fynnodd Lois fynd draw i Ynys Lawd ar ôl yr ysgol i weld cywion y llurs a'r gwylogod. Doedd hi ddim yn hawdd gweld y cywion am eu bod yn dal i gael eu cuddio rhwng coesau a phlu'r oedolion. Ar un darn o silff, roedd pum gwylog yn sefyll yn rhes a'u boliau gwyn yn amlwg iawn o flaen y graig dywyll. O fol gwyn yr aderyn ar y pen roedd pen bach du yn edrych allan. Mi synnais weld y cyw mor fawr a'r plu mor ddu. Roeddwn i wedi disgwyl rhywbeth llawer llwytach gan aderyn ifanc. Un cyw bach gan y llurs a welsom ni hefyd, ond gordors gan y warden i ddod yn ôl yr wythnos nesaf am y byddan nhw'n haws i'w gweld. Fe ddaw rhwng 2,800 a 3,500 o wylogod a llurs i nythu yma bob haf. Pan fydd y cyw yn rhyw bythefnos a hanner fe fydd yr oedolion yn ei wthio oddi ar y silff i'r dyfnder berw islaw. Mae'n swnio'n ffordd greulon ofnadwy o gael y cyw i'r dŵr, ond rhaid ei fod yn gweithio gan fod yr adar yn dod yn ôl i nythu yma flwyddyn ar ôl blwyddyn. Gan fod y cyfan o'r adar yn tueddu i ddeor cywion yr un pryd fe fyddan nhw hefyd yn hedeg yr un pryd, ac felly rhaid bod yn reit ofalus neu fe gollwn ni weld y cywion. Roedd y cyw gwylan y penwaig a welsom ni'r tro diwethaf wedi tyfu'n arw ac fe fydd yn hedfan cyn bo hir.

Erbyn i ni gyrraedd Ynys Lawd roedd yr haul allan er ei bod wedi bwrw am y rhan helaethaf o'r diwrnod. Chwythai gwynt cryf o'r De-orllewin ac roedd crib gwyn ar y tonnau. Doedd dim un o'r adar yn nofio yn y môr islaw: rhaid bod gormod o ymchwydd yn y dŵr.

## Dydd Gwener, 5 Gorffennaf

Diwrnod cymylog ac yn smwc bwrw bore 'ma. Dydi ddim yn gwneud haf da iawn. Fe gododd yn braf ar ôl cinio a dyma fynd am dro heibio i Eglwys Penmynydd. Fe gododd tri o gywion petris o'r gwrych yn ymyl yr eglwys. Roedd gwylio'r cywion yn ceisio symud o'r ffordd yn ddoniol iawn. Doedd yr un ohonyn nhw'n gwybod pa un a ddylai symud gyntaf, ond yn y diwedd fe lwyddodd y tri i ddianc i gysgod y gwrych.

Dad wedi codi tatws o'r ardd heddiw ac fe gawsom ni bryd i swper. Ew, roedd blas da arnyn nhw.

### Dydd Sadwrn, 6 Gorffennaf

Noson ddistaw braf a'r mynyddoedd yn rhyfeddol o glir. Mynd i lawr i Draeth Coch am dro. Roedd y llanw allan ymhell a neb ond y ni yn cerdded y traeth. Gweld bod y saethbennig arfor yn tyfu ar ran ucha'r traeth. Mae'r dail yn hir ac yn fain a'r blodyn yn tyfu ar un goes o waelod y dail.

Clwbfrwynen arfor oedd un frwynen a dyfai mewn clystyrau mawr ym mhen y traeth — yn y rhan honno lle mae llawn cymaint o fwd ag o dywod a lle nad ydi'r môr yn golchi drosto bob dydd. Fe all dyfu cymaint â thair troedfedd ac wrth ei chyffwrdd mae teimlad garw i'r ddeilen a'r goes. Mae'r fflurgainc yn fawr ac o liw brown tywyll.

### Dydd Llun, 8 Gorffennaf

Mynd draw i'r Fedw Fawr yn ymyl Llangoed heno. Roedd yn noson ddigon cymylog ond roedd yn dal yn dangnefeddus o braf yno. Roedd Ynys Seiriol i'w gweld yn glir a Phen y Gogarth hefyd yn eglur ddigon draw ar y gorwel. Mae'r llwybr uwchben traeth bychan, graeanog ac roedd gwylanod yn bwydo yn y pyllau rhwng y creigiau ar ochr y traeth a phioden y môr yn galw wrth hedfan yn isel dros y dŵr. Doedd yna neb ond ni yn cerdded y rhostir uwchben y clogwyni. Sylwi, wrth gerdded, ar eingion lle roedd aderyn wedi bod yn brysur yn torri malwod i gael pryd da o fwyd. Y cregyn lliw pinc a melyn oedd y rhai mwyaf niferus, a'r rhain felly oedd y rhai hefo'r cuddliwiau salaf i'r adar, ac felly'n troi'n bryd o fwyd maethlon. Wrth i ni gerdded, fe gododd ysgyfarnog o'n blaenau a'i gwadnu hi am ei hoedl ar draws y rhostir. Fe gawsom gryn hwyl yn perswadio Lois mai un o wrachod Llanddona oedd hi mewn gwirionedd! Roedd cyfoeth o flodau yno hefyd gan gynnwys y tegeirian brych cyffredin. Roedd tresgl y moch yn harddu pobman â'i felyn siriol, ac roedd digonedd o eithin, grug a rhedyn.

*Dydd Mawrth, 9 Gorffennaf*

Mae'r ysgawen yn ei blodau ymhobman, yn lliw hufen cyfoethog yn erbyn y dail gwyrdd tywyll. Pen cyfansawdd o flodau bychan bach sydd gan yr ysgawen ond mae'n edrych fel un blodyn mawr o bell. Fe ellir gwneud moddion o'r blodau ar gyfer annwyd yn y pen a pheswch, a hefyd i drin twymyn y gwair a'r gwynegon. Mae'n debyg fod yr hylif, ar ôl mwydo'r blodau mewn dŵr, yn dda iawn i'r croen, a bod rhisgl y goeden yn ddefnyddiol i drin y clefyd cwympo. Rydw i'n credu y glyna i at y gwin!

*Dydd Mercher, 10 Gorffennaf*

Mynd draw heno i Fynydd Llwydiarth, ac roedd yr olygfa dros Draeth Coch yn wych. Roedd yn nosi'n braf ac ochr draw Traeth Coch a'r Benllech i'w weld yn glir ac ymhellach draw wedyn Ynys Foelfre'n swatio'n ddistaw yn y dŵr. Treulio peth amser yn gwylio'r llanw'n mynd allan a'r gwelyau cocos yn graddol ddod i'r golwg. Lle da am gocos ydi Traeth Coch wedi bod erioed, a theuluoedd yr ardal yn arfer dod yn yr haf hefo rhaw a bwced er mwyn cael pryd hefo tatws newydd.

Anifail dwy gragen ydi'r gocosen sydd â'i chynefin yn y tywod neu'r mwd tywodlyd ar y rhan ganol o'r traeth. Mae gan bob un o'r molysgiaid droed ac yn y gocosen mae hi'n eithriadol o fawr. Mae ganddyn nhw hefyd fantell. Mae'r ddwy gragen yn cwmpasu'r corff cyfan ac yn diogelu'r meinwe meddal oddi mewn. Mae tegyll, sydd bron yr un hyd â'r anifail, yn creu cerrynt sy'n cario darnau bychain o fwyd (plancton) yr anifail i mewn i'w gorff ac at ei geg.

*Dydd Iau, 11 Gorffennaf*

Mynd am dro cyn belled â Cheint a gweld fod brenhines y weirglodd yn llenwi'r gwrychoedd. Cawod o liw hufen tebyg i candi-fflos ydi'r blodyn i edrych arno a hefo'r arogl mwyaf bendigedig. Erwain ydi enw arall ar y blodyn godidog yma. Yn ôl y Mabinogion roedd Gwydion a Math fab Matholwch wedi cymryd 'Blodau'r deri, blodau'r banadl a blodau'r erwain' i greu Blodeuwedd, ac os felly does ryfedd ei bod yn hardd! Er, dydw i erioed wedi medru deall sut yn union y llwyddon nhw i wneud hynny gan fod yr erwain yn blodeuo ymhell ar ôl y lleill. Ond dyna fo pwy ydw i i amau gallu dau fel Gwydion a Math fab Matholwch?

Arferid defnyddio'r planhigyn hwn yn y tai i wella'r arogl yn yr ystafelloedd, ac roedd yn un o blanhigion cysegredig y Derwyddon.

## Dydd Sadwrn, 13 Gorffennaf

Trip yr Ysgol Sul i Lerpwl. Mynd hefo'r plant i 'Pleasure Island', rhyw hen hongar o le mawr, swnllyd i chwarae bowlio-deg a chwesars. Diwrnod poeth a dyma fynd allan i chwarae golff bach er mwyn cael tipyn o awyr iach. Mae'r lle wedi ei adeiladu ar hen safle Gŵyl y Gerddi pan gynhaliwyd honno yn Lerpwl rai blynyddoedd yn ôl. Rydw i'n cofio gwrando ar raglen arddio un tro, ac un o'r gwrandawyr yn dweud wrth y panelwyr y buasai hi'n lecio gardd oedd yn edrych ar ei hôl ei hun. A dyma'r ateb yn dod gan y panelwr arbennig hwnnw, 'Mae'r ardd yn gofalu amdani ei hun!' Fe aeth ymlaen i egluro mai'r blodau a'r chwyn cynhenid sy'n cael cyfle i dyfu a blodeuo pan fo'r garddwr yn rhoi'r gorau i arddio. Cefais fy atgoffa o'i eiriau wrth edrych o gwmpas 'Pleasure Island' — oedd, roedd yr ardd wedi gofalu amdani ei hun, a rhwng y llwyni a'r gwlâu blodau, a blannwyd mor ofalus (a chostus!) rai blynyddoedd ynghynt, roedd y tyfiant cynhenid, naturiol yn prysur adfeddiannu'r tir.

## Dydd Sul, 14 Gorffennaf

Mynd i lawr i'r Fron Olau, Dolgellau i ddathlu Priodas Arian Keith a Ceinwen. Diwrnod bendigedig o braf a'r olygfa dros Ddolgellau'n wych. Fe flinodd y plant ar eistedd yn llonydd mewn byr o dro a chan fod yna ddŵr rhedegog, braf yn y maes parcio, ble yn well i chwarae na'r fan honno? Mewn dim o dro roedd Lois wedi cael gafael ar benbwl. Wel, roedd o bron yn llyffant a'i gynffon bron iawn â diflannu. Roedd y traed a'r pen wedi ffurfio'n gywir, a'i liw brown tywyll hefo ychydig o farciau tywyllach yn gweddu i'r dim i'r math o gynefin roedd o ynddo. Roedd un o'r plant eraill wedi cael hyd i neidr ddefaid. Nid neidr ydi hi mewn gwirionedd ond madfall heb goesau.

## Dydd Llun, 15 Gorffennaf

Swithin, a do, diolch byth fe gawsom ni ddiwrnod braf. Siawns na chawn ni dywydd braf am ryw hyd rŵan. Yn ôl pob sôn, fe ddylen ni gael deugain diwrnod heb law.

Gweld bod bysedd y cŵn wedi agor ar glawdd Cae Twm. Blodyn

tal, brenhinol yr olwg ydi bysedd y cŵn neu'r bysedd cochion, a nifer o wniaduron neu glychau bach pinc tywyll yn rhedeg i lawr y coesyn a ffurfio'r blodyn. Gwyn ydi'r tu mewn hefo brychni tywyll. Defnyddir y digitalis i drin anhwylder y galon, ond mae'n wenwynig!

### Dydd Mawrth, 16 Gorffennaf

Diwrnod braf arall. Treulio rhan o'r bore yn gwylio teulu o wenoliaid y bondo yn hedfan uwchben Cae Twm. Roedd yna bump ohonyn nhw yn gwau drwy'i gilydd yn yr awyr las. Bwydo roedden nhw mae'n debyg, ond mi allwn dyngu ar lw mai mwynhau eu hunain yn yr haul roedden nhw. Erbyn nos roedd o leiaf ddau deulu arall wedi ymuno â nhw ac yn plethu'n ôl ac ymlaen drwy'r awyr yn union fel petaen nhw'n dilyn camau rhyw ddawns gymhleth. Roedd yn wych eu gwylio. Nosi'n braf heno.

### Dydd Mercher, 17 Gorffennaf

O'r diwedd cael cyfle i fynd hefo Lois draw i Ynys Lawd i edrych a welem ni'r cywion. Fe fuom ni'n lwcus. Roedd yna rai ar ôl ac yn ddigon mawr i ni eu gweld yn glir. Roedd cyw gwylog bach du, du i'w weld rhwng yr iâr a'r ceiliog. Tua hanner maint ei rieni oedd o a'i liwiau yn ddu a gwyn amlwg iawn. Roedd y rhan fwyaf o'r gwylogiaid wedi hedeg, a'r cywion yn amlwg wedi cael eu gwthio i'r môr islaw. Unwaith mae'r cyw bach yn taro'r dŵr, mae'r iâr a'r ceiliog yn closio ato i'w warchod. All o ddim hedeg, ac felly rhaid iddo ddechrau padlo am Iwerddon! Allan y bydd o wedyn ar y môr mawr am ryw bum mlynedd cyn dod i'r lan i fagu teulu ei hun.

Fe welsom ni gyw llurs hefyd yn lwmpyn bach llwyd rhwng ei rieni. Ychydig iawn oedd ar ôl, roedd y rhan fwyaf wedi ei heglu hi. Fe welsom gyw aderyn drycin y graig yn glir hefyd, yn belen lwyd a gwyn tua thridiau oed.

Mae gan aderyn drycin y graig ffordd dra effeithiol o'i amddiffyn ei hun. Os daw unrhyw un yn rhy agos mae'n chwydu cynnwys ei stumog allan dros yr aderyn neu'r anifail sy'n ei fygwth. Gan fod arogl a blas dychrynllyd arno fe fydd hwn fel rheol yn cael pob llonydd gan y gwylanod.

Roedd y cyw gwylan y penwaig a welsom ni'r tro o'r blaen wedi tyfu'n sylweddol ac wrthi'n agor ei adenydd a cheisio ymarfer hedeg. Islaw yn y môr roedd nifer o wylanod y penwaig ifanc a oedd wedi ceisio hedeg a dim ond wedi llwyddo i gyrraedd y môr. Fe fydd y rhain yma am rai dyddiau cyn y medran nhw godi i hedeg. Roedd y dŵr glaswyrdd yn eithriadol o glir a llonydd wrth i ni gerdded yn ôl ar hyd y llwybr uwchben y clogwyn. Gwelsom deulu o bum brân goesgoch yn hedfan yn yr awyr. Mae tua wyth pâr o frain coesgoch wedi nythu yn Ynys Lawd eleni, ac fel rheol rhyw dri chyw fydd gan bob pâr. Fe nythodd yr hebog tramor yma eto eleni.

Roedd yr amranwen arfor yn tyfu ar ben y clogwyn. Blodyn heb fod yn annhebyg i'r llygad llo mawr ydi hwn a'r dail wedi eu rhannu'n fân ac yn tyfu bob yn ail i fyny'r goes. Roedd chwilen o liw gwyrdd metelaidd, sgleiniog yn bwydo ar ganol y blodyn. Y chwilen deigr werdd oedd hon, a rargian, roedd yn drawiadol a'i chefn yn adlewyrchu'r haul nes fy nallu bron.

Roedd y grug yn odidog yn ei borffor a thresgl y moch ymhobman. Nosi'n braf heno eto a'r mynyddoedd yn glir ond heb fod yn rhy agos.

### Dydd Iau, 18 Gorffennaf
Diwrnod eithriadol o braf arall. Roedd yn boeth cyn naw bore 'ma. Mynd i'r ardd am dro a sylwi fod y gwenyn meirch yn prysur fela yn y procer poeth yn yr ardd, ynghyd â nifer o bryfetach eraill. Mae'r mintys wedi tyfu'n aruthrol a'r persli a blennais y llynedd yn tyfu'n eithriadol o dda.

### Dydd Gwener, 19 Gorffennaf
Diwrnod mileinig o boeth. Rhaid oedd mynd i chwilio am gysgod ar ôl cinio. Mae'r meillion gwyn yn amlwg iawn yng Nghae Twm. Nosi'n braf heno a rhimyn main o leuad newydd i'w weld fel roedd yn nosi.

### Dydd Sadwrn, 20 Gorffennaf
Diwrnod poeth arall. Dod yn ôl o'r Felinheli drwy Bentraeth ar ôl bod yn gweld Mannon a Ger a'r plant, a sylwi fod yr helyglys hardd

yn drwch gan ochr y clawdd ar fin y ffordd. Fe'i gwelir yn gyffredin ar ochr y ffordd, ac os bydd darn o dir wedi ei glirio neu ddarn o dir gwael, fe dyf hwn o flaen llawer planhigyn arall. Mae'n tyfu'n fawr ac yn dal — tua throedfedd a hanner i ddwy droedfedd. Pinc ydi'r blodau ac yn ffurfio pen cyfansawdd, a phan fydd nifer ohonyn nhw'n tyfu yn ymyl ei gilydd fe welir môr o bennau pinc yn siglo yn y gwynt.

Nosi'n braf heno eto a'r haul yn machlud yn goch.

### Dydd Llun, 22 Gorffennaf

Wedi bwrw glaw dros nos ond yn fore braf a heulog hefo dipyn o awel. Mynd draw i Gemlyn heno i weld y morwenoliaid. Roedd gryn dipyn yn wahanol i'r tro diwethaf y bûm i yma. Nifer ohonyn nhw wedi gadael y safle nythu, a'r rhai oedd ar ôl yn brysur yn cario pysgod i'r cywion. Roedd y rhain yn eithaf mawr erbyn hyn ac yn cerdded yn ôl ac ymlaen ar y lan gan grochlefain ar yr oedolion i gario mwy o fwyd er bod y rheiny'n gwibio'n ôl ac ymlaen hynny allen nhw. Gosodwyd bwgan brain gan Gymdeithas Byd Natur Gogledd Cymru ar ben ucha'r gefnen er mwyn dychryn yr hebog glas rhag iddo ddwyn y cywion. Rhaid ei fod wedi gwneud ei waith, gan fod nifer o'r morwenoliaid wedi bridio'n llwyddiannus.

Roedd bresych y môr, neu'r ysgedd bron â gorffen blodeuo a'r ffrwyth wedi dechrau ffurfio ar y planhigion. Roedden nhw'n edrych yn ddigon tebyg i'r swigod sydd ar wymon ac yn lliw gwyrdd golau.

### Dydd Mawrth, 23 Gorffennaf

Clirio brwgaets yng ngwaelod yr ardd a sylwi fod y codwarth caled yn tyfu yno. Mae ganddo sawl enw Cymraeg gan gynnwys elinog a mynyglog. Blodyn bychan tlws ydi o hefo pedwar neu bum petal lliw piws-las cyfoethog, a'r canol yn ffurfio tiwb melyn llachar hefo'r stigma i'w weld yn glir yn y canol. Bydd yn datblygu aeron coch yn ddiweddarach yn y flwyddyn. Lliw gwyrdd tywyll ydi'r dail, heb fod yn annhebyg i ddail tatws ac mae'r ddau yn perthyn yn agos. Perthnasau eraill ydi'r codwarth du a cheirios y gŵr drwg. Mae'r aeron ar geirios y gŵr drwg yn ddu ac yn wenwynig iawn.

### Dydd Mercher, 24 Gorffennaf

Noson eithriadol o braf a'r mynyddoedd yn glir. Mynd draw i Walchmai i ganfasio. Does 'na le'n byd tebyg i Walchmai am godi calon rhywun. Nid yn unig maen nhw frwd o'n plaid ni ond yn gwbl wrthwynebus i bawb arall, a heb fod ag ofn dweud hynny'n blwmp ac yn blaen!

Roedd yn noson wych, ac arogl pryfet yr ardd yn drwm ar yr awyr fin nos. Arogl melys a throëdig yr un pryd sydd i'r blodyn hwn. Rydw i'n ei lecio'n iawn fesul tipyn ond os bydd gormod ohono hefo'i gilydd, neu os bydd y blodyn ar fin marw, mae'n gallu bod yn rhy drwm. Blodyn bach gwyn sydd i'r pryfet a dim ond pan fydd o'n cael llonydd i dyfu'n wyllt y bydd y blodau'n ymddangos. Nid bod rhywun yn eu gweld yn aml; fel arfer mae'r planhigyn yn cael ei ddefnyddio i wneud gwrych ac yn cael ei dorri'n rheolaidd i ffurfio gwrych trwchus. Dim ond yn niwedd y ganrif ddiwethaf y daeth y pryfet yma i Ynysoedd Prydain o Siapan. Cafodd y pryfet gwyllt ei ddefnyddio fel hyn am o leiaf bedwar can mlynedd. Mae'r pren yn wyn a chaled ac wedi cael ei ddefnyddio i wneud bobinau a phegiau. Un adeg roedd sudd yr aeron yn cael ei ddefnyddio i liwio dillad.

*Dydd Iau, 25 Gorffennaf*
Diwrnod braf arall. Bran ac Alex yn cyrraedd adref i warchod er mwyn i ni gael mynd i'r briodas. Cychwyn am y De toc wedi naw y nos. Roedd y lleuad wedi codi er nad oedd wedi tywyllu eto. Hyfryd oedd edrych draw am Ynys Môn dros draeth Lafan o Abergwyngregyn. Bron na allwn i weld y cwch oedd yn cario corff Siwan i Lan-faes yn llithro ar draws y culfor. Aros yn Llwydlo heno.

*Dydd Gwener, 26 Gorffennaf*
Cychwyn yn weddol fore heddiw. Roedd y ffermwyr eisoes yn cynaeafu'r ŷd yn y rhan hon o'r wlad a'r tywysennau'n llawn, a'r caeau'n aur dan yr haul a'r awel. Roedd yna flodyn bychan pinc a gwyn yn tyfu'n un cnwd ar ochr y palmant ar hyd y ffordd. Cwlwm y cythraul ydi'r enw arno ac mae'n blanhigyn digon tlws er ei fod yn cael ei ystyried yn chwyn.

Cwlwm gwahanol iawn oedden ni'n dystion iddo rhwng Nia ac Aneirin, ac fe gafwyd diwrnod bendigedig o haf.

*Dydd Sadwrn, 27 Gorffennaf*
Troi am adref drwy Ynys-y-bŵl, a theithio ymlaen wedyn drwy Aberpennar a Hirwaun. Roedd yn ddiwrnod braf ond yn daith sobor

o araf hefo holl draffig ymwelwyr yr haf ar y ffyrdd. Ar ôl gadael Rhaeadr dyma weld y barcud yn hofran uwchben y caeau ar un ochr i'r lôn. Pleser oedd ei weld y hongian yn yr awyr a doedd dim amheuaeth pa aderyn oedd o hefo'r gynffon fforchog, ruddgoch i'w gweld yn blaen. Aderyn godidog ydi hwn ac, o gael ei warchod yn ofalus iawn yn y Canolbarth, mae'r niferoedd wedi cynyddu'n sylweddol dros y blynyddoedd diwethaf.

### Dydd Sul, 28 Gorffennaf

Bwrw glaw yn ddistaw heddiw, ond fe gododd am ryw ychydig pnawn ac mi es am dro heibio Bryn Gors. Roedd brenhines y weirglodd yn llenwi'r gwrychoedd ac ochr y ffordd a'i arogl yn feddwol ar ôl y glaw. Roedd y byddon chwerw hefyd yn ei flodau. Mae'n blanhigyn sy'n tyfu'n dal — tua thair troedfedd neu well ac yn tyfu mewn lle gwlyb fel ffos ar ochr y ffordd. Enw Cymraeg arall arno ydi cywarch dŵr. Mae'r dail yn hir (tua phedair modfedd) ac yn tyfu mewn dau hanner cylch o dair deilen o bobtu'r coesyn nes ei fod yn ymddangos fel cylch cyflawn o chwe deilen. Lliw pinc meddal ydi'r blodau, hefo nifer o flodau unigol yn ffurfio pen cyfansawdd. Bwrw glaw eto heno, glaw sy'n disgyn yn ddistaw ac yn drwm. O leiaf mi ga i sbario cario dŵr i'r blodau.

### Dydd Mawrth, 30 Gorffennaf

Mynd draw i Benmon pnawn ond roedd yn smwc bwrw a niwlen rhyngom ni a'r tir mawr. Roedd teulu o wylanod yn nofio yn ymyl y lan a'r rhai ifanc hefo'u plu brycheulyd. Roedd un ifanc yn cerdded ar y lan hefyd yn gwbl ddi-ofn ynghanol yr ymwelwyr i gyd. Ar y ffordd adref, gweld gyr o wartheg wedi hel at ei gilydd — mae'n siŵr o law.

### Dydd Mercher, 31 Gorffennaf

Diwrnod cymylog a'r gwynt yn fain ac yn chwythu'n gryf o'r De-orllewin. Y mynyddoedd yn glir ac rydw i'n siŵr y bydd yn law cyn nos. Wel, mae un peth yn sicr, celwydd ydi'r dywediad am Swithin!

# AWST

DRAENOG
*Erinaceus europaeus*

### Dydd Iau, 1 Awst

Diwrnod o haul a gwynt, a'r
gwynt yn ddigon main. Sylwi fod
blodau ar y persli, y mint a'r saets yn yr ardd. Mae'r codau wedi
hen ffurfio ar y tresi aur hefyd ac yn disgyn yn llwyd o'r brigau.
Fe ddifethodd y gwynt yr eirin ar y coed ac amryw ohonyn nhw
wedi eu gwasgaru ar lawr yn ffrwyth gwyrdd, caled, da i ddim i neb.
Pam na chawn ni haf hirfelyn tesog?

### Dydd Gwener, 2 Awst

Diwrnod braf heddiw. Fe ruthrodd Lois i'r tŷ am ddeng munud
wedi saith heno a gweiddi 'Mam! Mam! Dowch! Brysiwch! Mae
'na ddraenog bach wedi brifo ei goes wrth y stad.' Roedd raid mynd.
Nid y gallwn i wneud dim os oedd o wedi brifo, ond mae Lois yn
credu y medra i fendio pob dim. Beth bynnag, nid wedi brifo roedd
y draenog ifanc, ond yn methu'n glir â symud ar y tarmac. Roedd
yn gyfle ardderchog i weld hyd a siâp y creadur. Er bod y draenog
yn cael ei ddangos fel pêl yn amlach na pheidio, mae llawer mwy
o hyd nag o led iddo pan fydd o'n symud. Er mai un ifanc oedd
o roedd ei bigau'n ddigon siarp er i mi geisio gafael yn y blew meddal
sydd ar ei fol. Mi lwyddais yn y diwedd i'w roi yn y gwrych, ac i
ffwrdd â fo yn reit hapus drwy'r gwrych ac ar draws y lawnt. Roedd
Dad wedi gweld dau o rai bach eraill yng Nghae'r Wern y diwrnod

o'r blaen, medda fo. Tybed mai epil yr un a welais i ddiwedd Mehefin oedd y rhain?

### Dydd Sul, 4 Awst
Diwrnod o haul ac awel. Mynd draw i'r Benllech yn y pnawn. Mae Awst yn llenwi'r ffordd erbyn hyn, a'r gweiriach a'r blodau wedi tyfu'n fawr ac yn dal, a bron â chyffwrdd yng nghanol y ffordd. Mae'r pengaled a'i liw porffor gwych yn cyfoethogi'r wlad. Mae'r goes wedi chwyddo islaw'r petalau a bractiau du yn ei gorchuddio ac yn rhoi'r argraff o ben caled, du hefo'r petalau mân, piws yn dod allan ohono.

### Dydd Llun, 5 Awst
Digwydd edrych drwy'r ffenest heno a gweld Loti'n chwarae hefo rhywbeth ar y lawnt yn y Wern. Roeddwn i'n meddwl mai'r plant oedd wedi gadael pêl allan nes i mi fynd i weld a chanfod mai hefo llyg roedd yr hen gath yn chwarae. A chwarae oedd hi wedi'i wneud hefyd, gan nad oedd wedi bwyta dim gwerth o'r creadur. Mae rheswm am hyn, a hwnnw ydi fod dwy chwarren, un ar bob ystlys i'r creadur, ag arogl drwg ynddyn nhw. Pan fo'r llyg yn cael ei fygwth mae'n gollwng yr arogl anghynnes i'r awyr mewn ymgais i gadw gelynion draw. Enw arall arno ydi chwislen. Mae'n perthyn i'r teulu *Soricidae* ac mae aelodau'r teulu i gyd yn bwyta pryfetach neu anifeiliaid bach sy'n byw naill ai yn y ddaear neu dan gerrig a dail wedi pydru. Trwynau main, llygaid bach, bach a chlustiau crwn sydd ganddyn nhw i gyd ac er eu bod nhw'r un maint â llygod maen nhw'n perthyn yn nes i'r draenog a'r twrch daear nag i'r llygoden. Yn y gwanwyn fel rheol y byddan nhw'n paru ac fe all y fanw fagu cymaint â phum nythaid mewn un tymor! Felly, dydi o ddim yn syndod nad ydi oes yr un llyg yn fwy na rhyw bedwar mis ar ddeg.

### Dydd Mercher, 7 Awst
Mynd i'r Berffro am dro, a galw yn Llys Llywelyn. Mae'r ardd yn y fan honno yn cynnwys rhai o'r llysiau y credir eu bod yn cael eu defnyddio yng nghyfnod y Tywysogion. Roedd yn ddiddorol iawn gweld y ffenigl yn tyfu yno.

### Dydd Iau, 8 Awst
Fe fydd sawl gwyfyn yn ffendio ei ffordd i'r tŷ gyda'r nos gan fod y golau ymlaen a'r ffenestri'n agored. Brith y rhyfon ddaeth i mewn

neithiwr — un gwyn hefo marciau du ac ychydig o farciau melyn arno. Rhybudd i adar nad ydi o ddim yn dda i'w fwyta ydi'r lliwiau amlwg ar y gwyfyn hwn. Mae'n hedfan fel arfer yn ystod misoedd Gorffennaf ac Awst ac yn dodwy ei wyau ar ddail y ddraenen wen, y ddraenen ddu a choed afalau ac eirin, ac mae'n gallu bod yn niwsans glân ar goed cyraint.

### Dydd Sadwrn, 10 Awst
Diwrnod o gawodydd a haul, a cheisio cipio i sychu'r dillad rhwng y cawodydd.

Mae'r nosweithiau'n tynnu i mewn yn go arw erbyn hyn ac roedd yn dywyll tua chwarter i ddeg. Sŵn taranau'n rowlio yn y pellter heno.

### Dydd Sul, 11 Awst
Cychwyn am bythefnos o wyliau ym Mwlgaria heddiw. Roedd teithio i faes awyr Manceinion yn brofiad gwahanol iawn i'r hyn oedd o ym mis Ebrill wrth fynd i Amsterdam. Yr adeg honno, dechrau blaguro roedd popeth ond erbyn hyn mae'r coed a'r blodau i gyd yn gwisgo mantell yr haf, y gwrychoedd yn llawn a'r gweiriau wedi melynu yn nhes yr haul. Mae'r coed yn ddeiliog, wyrdd a'r haf yn ei ogoniant, a 'nghalon innau yn fy sgidiau wrth feddwl am hedfan.

Roedd yn gymylog wrth i ni godi o'r maes awyr ond ymhen dim roedden ni wedi cyrraedd gwastadedd gwyn y cymylau a goleuni llachar yr haul. Mi ddechreuais boeni ein bod ni'n mynd i'r cyfeiriad anghywir gan fod haul y pnawn ar ochr chwith yr awyren a ninnau i fod yn mynd i gyfeiriad y dwyrain! Doedd dim rhaid i mi bryderu. Cyn bo hir roedd yr awyren wedi troi'n raddol ac esmwyth a bellach roedd yr haul y tu cefn inni. Wrth ddisgyn i'r maes awyr yn Bourgas roedd golau'r sêr a goleuadau ar lethr bryn yn toddi'n un, nes eu bod yn y diwedd yn cymysgu â'r rhes o oleuadau glas a'n harweiniai i ddiogelwch.

### Dydd Llun, 12 Awst
Codi am wyth y bore, a'r dydd wedi hen gerdded. Roedd y gwesty lle'r arhosem dros nos reit ar lan y môr, ac awel gynnes yn chwythu o'r Môr Du. Roedd tonnau mawr, gwynion yn torri ar y traeth a'r haul yn boeth a llachar. Dydyn ni ddim yn aros yn Slanchev Bryag

am yr wythnos gyntaf, ond yn symud i fyny i fynyddoedd y Rhodope sydd yn Ne'r wlad ac yn ffinio â Groeg.

Wedi gadael y dref lan môr, teithio drwy wastadedd lle roedd erwau ar erwau wedi eu gorchuddio ag un cnwd yn unig, ac ambell ffermdy gweddol fawr i'w weld bob hyn a hyn. Roedd yr ŷd wedi ei gynaeafu a gweddill y gwellt wedi ei losgi nes gadael y ddaear yn ddu. Roedd y geifr wedi cael eu troi i'r caeau hyn — gyrroedd ohonyn nhw yn llwyd a brown a du. Roedd yna erwau o gorn hefyd ac fel roedden ni'n nesu at fynyddoedd y Sredna Gora ar yr ochr chwith inni, roedd gwinllannoedd ac erwau lawer o flodau'r haul, hefo'r pennau mawr melyn a'r canol brown yn siglo'n araf yn yr awel. Defnyddir yr hadau, wrth gwrs, i wneud olew coginio. Mewn sawl lle roedd y ffermwyr yn brysur gyda'u cnydau a sawl trol a mul i'w gweld yn y caeau. Roedd amryw o dai gyda gwinwydd yn tyfu o'u blaenau a'r grawnwin yn hongian yn sypiau trwchus, blasus yr olwg; corn hefyd yn tyfu yn yr ardd a'r teulu'n cadw ieir.

Gwastadedd Thracia ydi'r rhan hon o Fwlgaria. Dyma'r rhan a ddenodd Philip o Facedonia, a'r Rhufeiniaid yn ddiweddarach. Yn ôl chwedl o Fwlgaria, roedd Duw wedi rhannu'r byd rhwng gwahanol genhedloedd ac wedi anghofio amdanyn nhw nes i griw fynd ato un diwrnod i gwyno.

'Wel,' meddai Duw wrthyn nhw, 'does 'na ddim o'r ddaear ar ôl, ond gan eich bod chi'n bobl sy'n gweithio'n galed mi ro i ddarn o baradwys i chi.' A dyna sut y cafodd y Bwlgariaid ddarn o Thracia.

I bob pwrpas mae mynyddoedd y Balkan yn rhannu Bwlgaria'n ddwy, sef y Gogledd oer (neu gymharol oer) a'r De tynerach. Aros i gael cinio yn Stara Zagora. Ystyr yr enw ydi 'yr hen dref y tu ôl i'r mynyddoedd'. Roedd yn dref braf gyda strydoedd llydan a choed leim yn tyfu'n dal ar hyd y ffyrdd. Ar ôl cinio gadael y dref a phasio'r blociau o fflatiau dienaid ar ei chyrion, gadael Gwastadedd Thracia a chychwyn ar y daith araf i fyny mynyddoedd y Rhodope.

Yn ôl chwedl Thraciaidd, roedd Rhodopis a Hem yn ddau gariad a feiddiodd eu cymharu eu hunain â'r duwiau Zeus a Hera. Fe benderfynodd y duwiau eu cosbi drwy eu troi yn fynyddoedd wedi eu gwahanu am byth gan afon Marista — Hem yn fynyddoedd y Balkan a Rhodopis yn fynyddoedd y Rhodope. Mae'r gyfres hon o fynyddoedd yn lledu o wlad Groeg i Fwlgaria ac yn ddarn nodedig o hardd. Erbyn hyn roedd y tirwedd wedi newid, a ninnau'n teithio ymlaen ar hyd ffordd gul gyda'r llethrau'n codi'n serth o bobtu. Coed collddail oedd yma gan mwyaf, heb fod yn annhebyg i ambell lecyn fel Beddgelert yng Nghymru. Ond wrth ddringo'n uwch, roedd y coed yn newid yn raddol, a'r gerddinen yn dod fwyfwy i'r amlwg a llawer mwy o goed conwydd.

Erbyn cyrraedd Pamporovo doedd fawr ddim ond y coed conwydd tal i'w gweld. Mae'r gwesty lle rydyn ni'n aros, y Perelik, wedi ei enwi ar ôl un o'r pegynnau uchaf yn yr ardal. Gwely cynnar heno ar ôl taith hir a blinedig.

*Dydd Mawrth, 13 Awst*
Diwrnod braf. Codi gan weld coed conwydd ar y llethrau serth a'r haul yn disgleirio ar y cabanau pren hyd y llechweddau. Roedd tair gwennol y bondo yn gwau drwy'r awyr o flaen y balconi yn union fel petawn i gartref!

Mynd i gerdded ar ôl cinio ar y llethrau gerllaw. Ceir digon o wahanol lwybrau yma yn arwain i bob cyfeiriad drwy'r mynyddoedd. Dan y coed conwydd roedd cannoedd o foch coed ar lawr, a hefyd ffwng wedi syrthio o'r canghennau. Dywedir fod trigolion yr ardal hon yn byw'n hen iawn ac un o'r rhesymau ydi bod yr awyr mor glir a glân. Mae'r ffwng wrth gwrs yn arwydd o lendid yn yr awyr. Roedd llu o flodau gwylltion yn tyfu ac roedd sŵn robin sbonc yn canu yn y gwair yn swnio fel degau o droellau nyddu. Cerddasom rhyw hanner ffordd i fyny mynydd Snezhanka sydd tua phum mil a chwe chant o droedfeddi uwchlaw'r môr. Ar ben y mynydd mae mast teledu uchel a chaffi ac mae modd cael reid mewn cadair i'r brig neu gerdded. Rhaid gwneud hyn cyn mynd adref.

*Dydd Mercher, 14 Awst*
Codi'n blygeiniol. Wel, hanner awr wedi saith. Ond hanner awr wedi pump ydi hi o hyd ar fy nghloc biolegol i! Taith i ymweld ag ogofâu heddiw. Mae mynyddoedd y Rhodope'n llawn ogofâu (tua chant a hanner ohonyn nhw) ac amryw wedi eu haddasu ar gyfer twristiaid. Ogof Iagodina oedd yr un gyntaf i ni fynd iddi. Mae'n ddeg cilomedr o hyd (yr hwyaf yn y Rhodope) ac roedd y darn a oleuwyd ar gyfer twristiaid tua chilomedr a hanner. Roedd y tymheredd yn 6C ac yn gyson drwy gydol y flwyddyn.

Roedd cannoedd o'r bysedd calch i'w gweld yn yr ogof — y stalactidau yn hongian o'r to a'r stalacmidau yn codi o'r llawr. Yn y rhan gyntaf i ni fynd iddi, roedd nifer o stalactidau bach, mân fel llyngyrod yn hongian o'r to ac mae'r palaeontelegwyr lleol wedi ei henwi 'Yr Ogof Basta' am eu bod yn edrych yn union fel darnau o sbageti. Mewn darn arall o'r ogof roedd perlau mân i'w gweld. Nid rhai iawn oedden nhw wrth reswm ond rhai wedi eu ffurfio o'r calch. Mewn darn arall eto, roedd stalactidau yn hongian o'r to fel llenni neu ddarnau anferth o leden.

Gwddf y Diafol oedd yr ail ogof i ni ymweld â hi ac roedd hon ychydig i'r Gogledd o bentref bach Trigrad. Roedd yr haul yn llethol y tu allan a'r clogwyni serth yn codi fel muriau uchel uwch ein pennau. Gwibiai sawl gwennol y bondo yn ôl ac ymlaen yn yr hafn rhwng y ddau glogwyn lle roedden nhw'n nythu. Ceir un aderyn prin iawn yn nythu yma hefyd — dringwr y mur ac mae tri phâr wedi nythu'n llwyddiannus yma eleni.

Wedi mynd i mewn i'r ogof a dechrau cerdded i lawr y grisiau serth, roedd sŵn y rhaeadr yn codi'n uwch ac yn uwch o hyd. Fe ffurfiwyd yr ogof wrth i afon Trigradska dywallt i mewn i'r ogof yn rhaeadr anferthol. Yn ôl y chwedl, o'r fan hon yr aeth Orffiws i deyrnas Annwn i chwilio am ei annwyl Euridice. Llwyddodd Orffiws i berswadio Hades i adael i Euridice ddod yn ôl gydag o i'r byd ar un amod — doedd yr un o'r ddau i edrych ar ei gilydd nes iddyn nhw gyrraedd golau dydd. Fe fethodd Orffiws â dal, ac edrychodd yn ôl i wneud yn siŵr fod Euridice'n iawn ac wrth wneud hynny fe'i condemniodd am byth i deyrnas Annwn. Torrodd ei galon, a threuliodd weddill ei oes yn crwydro mynyddoedd y Rhodope.

O weld yr ogof lle roedd y rhaeadr yn tywallt i ryw afon danddaearol na ŵyr neb ble mae'n tarddu, mi fedra i gredu'n hawdd mai dyma lle roedd y fynedfa i'r byd tanddaearol!

Yng Ngwddf y Diafol, roedd ystlumod i'w gweld yn hedfan o gwmpas yn y golau gwan, ac mae tua saith ar hugain o wahanol rywogaethau o ystlumod ym Mwlgaria. Mae afon Trigradska yn gartref i un brithyll bach, ac oherwydd ei fod yn treulio'i oes i gyd yn y tywyllwch, albino ydi o.

*Dydd Iau, 15 Awst*
Diwrnod arall godidog o braf. Mynd i Amgueddfa'r Ogofâu yn Chepelare heddiw. Chepelare ydi'r dref uchaf yn yr ardal hon, tua

4,600 o droedfeddi uwchlaw'r môr. Mae hyn yn dal i fod yn uwch na'r Wyddfa ac eto mynd i lawr yno a wnawn ni o Pamporovo! Roedd yr amgueddfa'n hynod o ddiddorol hefo enghreifftiau o'r cerrig a'r mwynau sydd i'w canfod yn yr ardal. Roedden nhw hefyd yn dangos enghreifftiau o'r bywyd gwyllt, fel ystlumod a thrilobitiau, oedd yn byw yn yr ogofâu, a'r ffosiliau a ddarganfuwyd yno. Mae'r ogofâu, yn enwedig un Iagodina, wedi bod yn lloches i anifeiliaid ers tua 40,000 o flynyddoedd. Yn eu tro, mae udfilod ac eirth wedi cael lloches yno. Yn ystod y saith mil o flynyddoedd diwethaf mae dyn hefyd wedi gwneud ei gartref yno.

Teithio i weld 'Chudni mostove', un o'r pontydd naturiol sydd wedi ei ffurfio allan o graig. Safasom ar un bont sy'n 360 troedfedd o hyd ac yn 260 troedfedd o uchder ac edrych draw ar un arall gyferbyn. Mae'r rhain wedi eu ffurfio'n naturiol am fod dŵr asidig yn rhedeg drwy'r calchfaen a'i erydu'n raddol dros y canrifoedd. Un ogof enfawr oedd yma unwaith, ond bod y canol wedi disgyn i mewn gan adael y ddwy bont ar ôl. Roedd yn braf cael cinio i fyny'n uchel ar y llecyn tawel, agored hwn yng nghanol y coed pîn. Roedd blodyn bach tlws, piws a marciau melyn arno yn tyfu yma: effros y dwyrain oedd y blodyn bach godidog hwn. Roedd teim yn tyfu yma hefyd ac arogl bendigedig arno, a saffrwm yn tyfu'n wyllt hefo lliw ysgafn piws a gwyn ar y petalau, a'r antherau yn felyn-oren cyfoethog.

Wedi cerdded i lawr y llethr a sefyll dan y bont gerrig, sylwi fod blodyn pen-melyn yn tyfu hefo clwstwr o flodau bach ar y pen a'r rheiny'n diferu i lawr a'r antherau yn disgyn islaw'r petalau. Perthyn i deulu'r nionyn y mae'r blodyn hwn a'i enw ydi y nionyn melyn. Roedd y clychlys yn tyfu ymhobman — sawl rhywogaeth ohonyn nhw a'u clychau cain yn plygu'n osgeiddig ar y goes.

Ymweld â Siroka Laka gyda'r nos, pentref sydd wedi ei ddiogelu gan y llywodraeth oherwydd y bensaernïaeth Fwlgaraidd draddodiadol. Roedd amgueddfa fechan yno mewn tŷ a arferai berthyn i fugail a'i deulu, ac i deuluoedd ei blant i gyd ar yr un pryd! Difyr iawn oedd busnesa mewn stafelloedd wedi eu dodrefnu yn null y cyfnod a gweld y dillad coch ac oren lliwgar sydd mor nodweddiadol o'r rhan hon o Fwlgaria. Uwchben, ar fachyn o'r nenfwd, roedd clychau'r gwartheg a'r defaid yn hongian a nifer o offerynnau traddodiadol Bwlgaria fel y bacbib (wedi ei llunio o groen gafr), y ffliwt a'r mandolin. Ymlaen wedyn i'r ysgol lle rhoddir hyfforddiant ar ganu ac offerynnau traddodiadol y wlad ond dim ond i ryw ddeugant o fyfyrwyr ar y tro.

## Dydd Gwener, 16 Awst

Dringo hanner ffordd i fyny Mynydd Snezanka a gweld llu o flodau gwylltion. Dan y coed conwydd ceir morgrug ymhobman ac mae ganddyn nhw nythod anferthol, ar y tu allan o leiaf, o bigau'r pinwydd. Dringo hanner arall y mynydd mewn cadair. Roedd gryn dipyn yn haws! Odanom roedd gyr o ddefaid a gwartheg yn pori'r llethrau a phob un â'i gloch. Roedd yna olygfa wych o ben y tŵr teledu ar frig y mynydd. Mynyddoedd wedi eu gorchuddio â choed pîn yn codi i bob cyfeiriad a phentrefi bychain yn swatio yn y pantiau.

Mynd i farbeciw heno lle roedd oen cyfan yn cael ei rostio. Ym Mwlgaria ceir traddodiad o groesawu dieithriaid drwy gynnig bara a halen hefo sbeis ynddo wrth i'r dieithriaid groesi'r trothwy. Mae'n ffordd o ddymuno iechyd da i'r dieithryn a chadw ysbrydion drwg i ffwrdd. Fe ddaeth yn goblyn o storm o fellt a tharanau heno.

## Dydd Sadwrn, 17 Awst

Ymweld â mynachlog Bachkovo. Wrth y fynedfa roedd coeden persimon yn tyfu, a honno, yn ôl y gred, yn rhai canrifoedd oed. Mae'r ffrwyth yn aeddfedu ym mis Ionawr ac yn felys i'w fwyta. Yr enw Lladin arni ydi *Diosporos lotos*, sef 'Y Planhigyn Dwyfol', ac mae'n rhywogaeth sydd wedi'i gwarchod ym Mwlgaria. Ceir parc cenedlaethol o bwysigrwydd rhyngwladol yn yr ardal o gwmpas y fynachlog.

Ymlaen wedyn i waelod y dyffryn i weld Caer Assen yr Ail — hen gaer wedi ei lleoli ar graig uchel ar waelod Gwastadedd Thracia a chyrion Mynyddoedd y Rhodope. Ar ôl dringo i'r gaer, lle nad oes dim ar ôl ond eglwys o'r unfed ganrif ar ddeg, gyda murluniau godidog, mae golygfa wych i gyfeiriad Mynyddoedd y Rhodope ar un llaw ac i lawr i gyfeiriad gwastadedd Thracia ar y llaw arall. Y Twrciaid a ymosododd ar y gaer a'i dinistrio. Yr unig ffordd y gallen nhw wneud hynny oedd trwy ddarganfod y ffordd gudd oedd yn arwain i lawr o'r gaer drwy grombil y ddaear i'r afon ymhell islaw. Roedd yn fy atgoffa o Gastell y Bere ond yn llawer uwch.

*Dydd Sul, 18 Awst*
Gadael y mynyddoedd heddiw a theithio i lawr i aros ar lannau'r Môr Du. Aros ar y ffordd i weld Plovdiv ar gyrion Gwastadedd Thracia. Mae'r oriau o deithio o'r ddinas hon i'r Môr Du ar hyd gwastadedd diderfyn yn golygu caeau ar gaeau o flodau'r haul, indiacorn, melonau a baco. Cyrraedd Slanchev Bryag heno ac wedi blino'n lân.

*Dydd Llun, 19 Awst*
Ar ôl heddwch a harddwch y mynyddoedd mae Slanchev Bryag fel Y Rhyl — ond yn llawer gwaeth! Mae lle yma ar gyfer 25,000 o dwristiaid a phum milltir o draeth melyn, di-dor. Rhaid bod y lle'n fendigedig cyn i ymwelwyr ddechrau tyrru yma. Mae twyni tywod a choed pîn ar y glannau, a heb bobl a chaffis a phitsa a phop rydw i'n siŵr y byddai'n wych! Mae'r môr yn hyfryd i nofio ynddo, heb fawr ddim llanw a'r dŵr yn gynnes braf. Gweld slefren fôr heddiw, un gymharol fawr, a'i lliw'n hufennog, dryloyw hefo marciau glasbiws o amgylch godre'i mantell.

*Dydd Mawrth, 20 Awst*
Diwrnod braf arall a'i dreulio'n diogi ar lan y môr. Y dŵr yn fas iawn ac yn gynnes am tua llathen neu ddwy o'r lan. Hyfryd hefyd ydi gweld y palmwydd yn tyfu yma gan fod y tywydd yn ymdebygu i'r tywydd ar lannau Môr y Canoldir.

*Dydd Mercher, 21 Awst*
Dal cwch heddiw a chroesi'r bae i Nesebar, hen dref a sefydlwyd gan y Thraciaid tua dwy fil o flynyddoedd cyn Crist. Fe fu'r Groegiaid a'r Rhufeiniaid yma ac yn y chweched ganrif Nesebar oedd terfyn Ymerodraeth Byzantiwm. Mesambria oedd yr hen enw ar y lle.

I bob pwrpas, ynys fechan ydi Nesebar hefo rhimyn main o dir (prin led ffordd) yn ei chysylltu â'r tir mawr. Roedd amgueddfa ethnig mewn hen dŷ yn yr 'al Mesambria', a'r tu allan roedd nifer o gerrig mawr a thrwm hefo dau neu dri thwll ynddyn nhw. Fedrwn i yn fy myw ddyfalu pa ddiben oedd iddyn nhw nes i mi fynd i mewn a deall mai angorau oedden nhw ac yn dyddio'n ôl i tua'r ddeuddegfed ganrif cyn Crist!

Aros i gael cinio mewn gwesty bach reit uwchben y môr ar ochr ogleddol Nesebar ac edrych draw i gyfeiriad Sozopol a thu hwnt i gyfeiriad y ffin â Thwrci. Ar y llethr yn union islaw roedd nifer o flodau melyn yn tyfu a'r dail yn rhyw lwydwyrdd. Roedd rhai o'r blodau wedi darfod ac eisoes wedi mynd i had, a'r ffrwythau'n edrych fel eirin gwyrdd pigog. Roedd yn rhaid i mi gael eu cyffwrdd i weld pa mor bigog oedden nhw ac mi ges sioc fy mywyd. Fe ffrwydrodd y ffrwyth i gyd gan wasgaru'r hadau bychain brown i bob cyfeiriad a hynny hefo andros o glec! Doedd byw na marw na châi Lois wneud yr un peth wedyn. Blodyn poeri ydi'r enw ar y planhigyn hwn.

### Dydd Iau, 22 Awst
Awyr las ddigwmwl eto heddiw, ac i'r traeth â ni ben bore. Mae'n rhyfeddol medru cerdded yn y môr am ddeg y bore a hwnnw'n gynnes braf. Roedd nifer o bysgod bach wedi cyrraedd y dŵr bas a'u cuddliw yn gweddu'n berffaith i'r tywod. Mae'r cranc meudwy yma hefyd yn cerdded yn dalog yn ei gragen ar wely'r môr ac yn swatio i mewn ynddi cyn gynted ag mae rhywun yn ei chodi yng nghledr ei law. Roedd amryw o gregyn wedi eu golchi i'r dŵr bas ger y lan gan gynnwys cregyn y malwod môr.

### Dydd Sadwrn, 24 Awst
Mynd ar daith i lawr gan ochr y Môr Du i gyfeiriad y De a'r rhan sy'n ffinio â Thwrci. Heb os, dyma'r rhan harddaf hefo llawer o'r arfordir heb ei ddatblygu ac ambell draeth fel hances boced fechan rhwng y creigiau.

Cyrraedd Afon Ropotamo ac am ddeg y bore roedd yr haul yn chwilboeth a'r afon fel pwll hwyaid. Roedd coed derw, bedw a helyg yn tyfu o bobtu'r afon a chyrs ar ei glannau. Afon enwog am nadroedd y dŵr ydi hon (rhai heb fod yn wenwynig) ond yn anffodus welais i ddim un. Ond mi welais dri chrwban y môr glas tywyll wedi codi o'r afon i dorheulo ar ddarnau o foncyffion ar y lan.

Yn y coed ger Afon Ropotamo roedd teulu o sipsiwn yn begera. Y tad yn canu'r ffidil a'r fam yn dal arth frown wrth gadwyn tra oedd y plant yn chwarae o gwmpas eu traed ac yn casglu arian. Dyma un o'r pethau tristaf i mi ei weld ym Mwlgaria. Mae eirth gwyllt yn dal i grwydro mynyddoedd y Rhodope a thrist ydi meddwl eu bod yn cael eu dal a'u defnyddio fel hyn.

Ar ôl gadael Ropotamo a throi'n ôl i gyfeiriad Bourgas, dyma basio Arkutino — hoff gyrchfan y penaethiaid comiwnyddol. Roedd yn ddigon hawdd gweld pam: roedd yn odidog ac yn debyg i rannau o Ben Llŷn.

### Dydd Sul, 25 Awst

Troi am adref heddiw. Ychydig cyn cyrraedd maes awyr Bourgas, gweld llynnoedd llonydd ar un ochr i'r ffordd a thomen enfawr o halen wrth eu hymyl. Dyma ffordd y bobl leol o gloddio am halen — gadael i'r dŵr anweddu ac yna sgubo'r halen yn un pentwr mawr. Ar yr ochr arall i'r ffordd, mewn cae oedd unwaith wedi tyfu grawn, roedd ciconiaid yn pigo — rhai gwyn hefo blaen yr aden yn ddu nes bod rhan ôl yr aderyn yn edrych yn ddu i gyd. Roedd eu coesau hir, tenau yn heglog ac roedd ganddyn nhw bigau gweddol fawr nes bod eu cyrff yn crymanu wrth bigo am eu bwyd. Cyrraedd Manceinion — a'r glaw!

Roedd yn braf cyrraedd adref a gweld y lleuad bron yn llawn uwchben Môn.

### Dydd Llun, 26 Awst

Rhyfeddu pa mor wyrdd ydi popeth a pha mor oer ydi hi yma!

### Dydd Iau, 29 Awst

'Pe cawn i egwyl ryw brynhawn,
Mi awn ar draws y genlli,
A throi fy nghefn ar wegi'r byd,
A'm bryd ar Ynys Enlli.'

A dyna lle'r aethom ni i gyd heddiw. Dal cwch cyflym Elwyn o Borth Meudwy a chroesi'r swnt i Enlli ar ddiwrnod rhy wyntog o'r hanner. A'r fath groesiad! Mi welais i faria'r hows lawer gwaith.

MORLOI LLWYD
*Halichoerus grypus*

93

Doeddwn i ddim yn sylweddoli bod y môr mor galed wrth i waelod y cwch daro'r tonnau. Roedd yr ewyn a'r tonnau wedi golchi dros y cwch sawl gwaith nes ein bod ni'n wlyb domen yn cyrraedd y lan.

Roedd y morloi llwyd wedi cyrraedd y Rhonllwyn — naw ar hugain ohonyn nhw'n torheulo ar greigiau'r bae a phymtheg arall ar y trwyn, a'r rheiny'n sgleinio'n llwydlas yng ngolau'r haul, rhai'n lliw llwyd golau a marciau tywyll arnyn nhw ac yn udo'n ddolefus. Yn nes ymlaen wedyn, roedd tri ar greigiau ar eu pennau eu hunain. Fe edrychodd un arna i ac roedd o'n ddigon agos i mi weld ei wisgars a'i lygaid mawr, trist yn edrych i fyw fy llygaid i. Ychydig pellach draw wedyn roedd yna wyth yn griw bychan ar greigiau. Prin roedd un graig yn codi o'r dŵr, a'r morwiail mawr, brown tywyll yn chwipio o gwmpas bol yr un oedd yn torheulo ar y graig honno. Roedd o'n codi ei ben a'i gynffon yr un pryd er mwyn cadw ei gorff o'r dŵr ac yn edrych fel rhyw athletwr gosgeiddig yn gwneud campau ar y bar. Wrth gerdded ymhellach ar hyd y penrhyn i gyfeiriad y gorllewin, roedd saith arall yn torheulo ar graig ac un yn y môr. Dros graig arall, ac roedd dau ar bymtheg yn torheulo ond cyn gynted ag y gwelson nhw ni fe blymiodd pob un i'r dŵr! Felly, roeddwn i wedi gweld bron i bedwar ugain i gyd!

Mamaliaid ydi'r morloi ac mae'r llo bach yn greadur hynod o dlws hefo ffwr gwyn, trwchus a llygaid mawr, diniwed ond maen nhw'n colli'r ffwr ar ôl rhyw dair wythnos. Rhwng rŵan a diwedd mis Hydref y bydd y fuwch yn esgor a chyn bo hir fe fydd y morloi yn gadael Enlli a symud i lawr i Ynys Dewi lle bydd y lloeau bach yn cael eu geni. Roedd yn wych eu gwylio yn y dŵr glas, clir, yr ewyn gwyn ar y tonnau a'r gwynt yn chwythu'n gryf o'r Gogledd. A'r tu ôl inni, mynydd Enlli a'r grug yn borffor ar ei gopa.

*Dydd Sadwrn, 31 Awst*
Cerdded heibio Ty'n Beudy i gyfeiriad lôn Llanbedr-goch, a gweld fod tamaid y cythraul yn ei flodau yng ngodre'r gwrych. Blodyn glas-biws tlws iawn ydi hwn ac mae'n ddirgelwch i mi pam mae blodyn mor dlws yn cael enw mor anffodus. Mae Dafydd Davies yn rhestru nifer o enwau eraill gan gynnwys bara'r cythraul, calon afal, caswenwyn, clafrllys, tamaid y diafol a phoer y diafol.

# MEDI

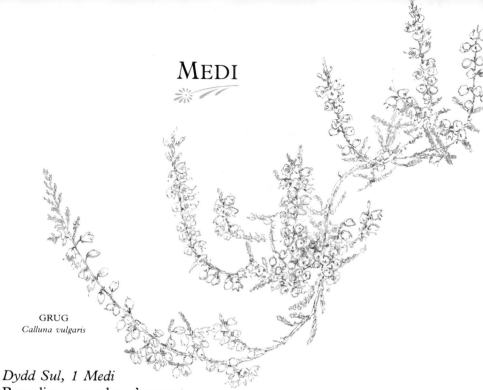

GRUG
*Calluna vulgaris*

## Dydd Sul, 1 Medi

Bore digon cymylog a'r gwynt
yn bur fain wrth ddod allan o'r capel,
er gwaethaf geiriau Eifion Wyn:

> 'Croeso Medi, fis fy serch,
> Mis y porffor ar y ffriddoedd;
> Pan y ceni'th glychau mêl
> Casgl y gwenyn o'r dyffrynnoedd.'

## Dydd Llun, 2 Medi

Crwydro a manteisio ar y diwrnod olaf o wyliau'r plant. Mynd drwy
Ddwygyfylchi i fyny am Sychnant a'r llethrau serth yn un carped
godidog melyn a phorffor o eithin a grug. Troi wedyn i gyfeiriad
Henryd, ac i fyny llethrau Tal-y-fan i eglwys Llangelynnin. Wn i
ddim am ryw lawer o lefydd yng Nghymru benbaladr sy'n fwy
tangnefeddus na'r lle hwn. Mae Eglwys Celynnin yn dyddio'n ôl
i'r bedwaredd ganrif ar ddeg ond mae'n bosib fod y safle'n dyddio'n
ôl i'r seithfed ganrif. Yn y fynwent yma mae bedd Abram Wood.

Roedd cloch y bugail yn tyfu yn y fynwent a'r lliw glas golau tyner
sydd i'r petalau yn union yr un lliw â gwisg y Forwyn Fair mewn

ambell ddarlun. Roedd cannoedd o forgrug hedegog o gwmpas y fan lle gadawsom ni'r car a nifer o wahanol loynnod yn prysur fwydo oddi ar flodau gerllaw.

Yn ôl i lawr y lôn ac am Ro-wen a dringo eto i gyfeiriad Bwlch y Ddeufaen lle mae'r hen ffordd Rufeinig yn arwain am Aber. Roedd y coed criafol yn diferu gwaed dros y ffordd wrth ddringo'r lôn gul i fyny am Fwlch y Ddeufaen. Roedd hedd y mynydd fel cawod ysgafn o law ar ôl diwrnod chwilboeth yn yr haf a'r grug a chlychau'r grug yn garped perffaith rhwng yr eithin melyn a dail gwyrdd y llus.

*Dydd Mawrth, 3 Medi*

Y plant yn ôl yn yr ysgol heddiw a diwrnod braf. Bron na ddywedwn i ei bod yn brafiach nag y bu drwy'r haf. Mae'r coed eirin yn yr ardd yn drymlwythog o eirin a'r rheiny'n prysur droi eu lliw o wyrdd i goch tywyll i biws-las tywyll.

*Dydd Mercher, 4 Medi*

Diwrnod heulog braf ac awel ysgafn yn chwyrlïo hadau'r ysgall i bob cyfeiriad. Roedden nhw'n codi'n donnau ac yn disgleirio fel arian yng ngolau haul y pnawn uwchben Cae Twm. Dull o wasgaru'r had ar y gwynt sydd gan yr ysgall ac mae pentyrrau o'r planhigyn i'w gweld ym môn y clawdd y dyddiau hyn, a'u pennau wedi troi o'r lliw porffor cyfoethog oedd ar y blodau i'r penwynni sydd ar yr had. Un hedyn bach sydd ynghlwm wrth un tusw o ffibrau ysgafn a phan fo'n aeddfed mae'n cael ei godi a'i gario gan y gwynt a'i ollwng ymhell i ffwrdd yn rhywle i gychwyn planhigyn arall. Yn y cyfamser mae wedi rhoi gwledd i'r llygad.

*Dydd Iau, 5 Medi*

Diwrnod braf arall a gwenoliaid y bondo'n trywanu'r awyr o gwmpas corn simdda Tŷ Capel. Rhaid eu bod yn paratoi i fynd. Bob hyn a hyn maen nhw i gyd yn ceisio glanio ar y corn ac wedyn yn codi hefo'i gilydd ac yn dawnsio rhyw ddawns wyllt, gyfrin yn yr awyr gan godi'n uwch ac yn uwch cyn glanio eto. Ac yna'n sydyn maen nhw wedi diflannu i rywle gan adael pobman yn dawel am sbel. Fe ddaethon yn ôl, a glanio'r tro yma ar wifren y telegraff yn union uwchben ffenest llofft Bryn fel bod gen i olygfa glir ohonyn nhw: roedd cryn ddeg ar hugain yno. Gwenoliaid y bondo oedd y rhan fwyaf, ond roedd yna ddwy wennol yn eu plith. Mae'r rhain yn hir ac yn osgeiddig o'u cymharu â gwennol y bondo — fel rhyw fath o 'Twiggy' byd yr adar. Mi fuaswn wrth fy modd yn cael mynd hefo nhw a hedfan i lawr i'r Affrig gynnes i aeafu.

Mynd i Langefni i brynu bylbiau saffrwm, y sosin bach glas a thiwlips a'u plannu heno er mwyn cael sioe o flodau'r gwanwyn nesaf.

Roedd yna wyfyn arall wedi dod i'r tŷ heno. Un bach llwyd oedd o, rhyw 2.5cm o led hefo marciau duon arno. Mae'n gorfoleddu yn yr enw gwyfyn patrymog y gerddi ac yn perthyn i deulu mawr y *Geometridae* sydd fel arfer yn hedfan gyda'r nos.

*Dydd Gwener, 6 Medi*
Diwrnod distaw, braf arall. Y gwlith yn drwm bore 'ma a dim awel o gwbl. Plannu bylbiau cennin Pedr yn yr ardd ar ôl cinio.

Penderfynu mynd am dro ar ôl swper i Landdwyn a mynd yno ar draws gwlad drwy Geint, Pentreberw a Llangaffo. Newydd ddod rownd y tro lle mae'r ffordd yn arwain am Y Gaerwen beth welem ni o'n blaenau ar ganol y lôn ond gwiwer lwyd a cheiliog ffesant. Am eiliad yn unig y buon nhw yno cyn i'r naill ei heglu hi i lawr y lôn a diflannu i'r clawdd ar y chwith ac i'r llall hedeg dros y gwrych ar y dde.

Roedd yn noson dangnefeddus o braf, a'r traeth melyn, glân yn ymestyn yn ddioglyd hyd at Abermenai. Roedd niwl yn dirwyn i mewn o'r môr a phrin y gwelem ni fynyddoedd Sir Gaernarfon. Cerdded wedyn yn hamddenol ar draws y traeth i gyfeiriad Ynys Llanddwyn. Fe ddechreuodd Lois gasglu broc môr a dechrau holi beth oedd hyn a'r llall. Cafodd hyd i granc y traeth wedi marw yn ymyl hen wymon. Hwn ydi'r un mwyaf cyffredin ar y traeth. Roedd o'n rhyw fodfedd ar draws a'i liw yn wyrddfrown.

Wrth gerdded heibio'r creigiau cyn-Gambriaidd ym mhen pella'r traeth dyma geisio egluro pa mor hynafol oedd y creigiau hyn a bod pobl o bell ac agos yn dod i'w gweld nhw ond y cwbl ges i oedd 'Dowch wir, rhag ofn i'r llanw'n dal ni.' Pwy faga blant?

Roedd Ynys Llanddwyn mor gyfareddol ag arfer ac roedd darn o gelyn y môr yn tyfu yn y pen pellaf — y pen agosaf at y goleudy. Roedd cryn ddeg ar hugain o fulfrain yn sefyll ar y creigiau yn y môr oddi ar yr ynys.

Wrth droi yn ôl am y tir mawr dyma basio swp o foresg yn tyfu wrth ochr y llwybr ac ar y fflurgainc roedd dau löyn byw digon o ryfeddod. Roedden nhw'n eistedd yno fel dwy foneddiges ysgafndroed mewn gwisg ddawns sidanaidd, ffurfiol yn disgwyl i ryw wŷr ifanc ofyn am eu llaw mewn dawns. Y glesyn cyffredin oedd y rhain.

## Dydd Llun, 9 Medi

Diwrnod heulog braf a'r awel yn sychu'r dillad yn fendigedig. Sylwi fod pidyn y gog yn llawn aeron oren-goch ym môn y clawdd gyferbyn a'r tŷ. Mae chwe phlanhigyn gwahanol yn ddwfn yn y clawdd a dyna sut am wn i maen nhw wedi osgoi cael eu torri gan y peiriant lladd gwair sy'n mynd drwy'r lôn bob hyn a hyn. Mi gyfrifais i ddeuddeg ar hugain o aeron ar ben un coesyn. Y tu mewn i bob aeron sengl mae sudd a thri hedyn bach. Felly mae pob planhigyn yn cynhyrchu tua chant o hadau a fydd yn cael eu gwasgaru i sefydlu planhigion newydd. Fe fyddai Mam yn ein siarsio ni blant rhag bwyta'r aeron ers talwm am eu bod yn wenwynig ond mae adar fel y fronfraith yn eu bwyta.

## Dydd Mawrth, 10 Medi

Diwrnod tawel braf arall. Mynd draw i'r Felinheli, ac wrth fynd i hen Ysgol Aberpwll sylwi fod y taglys mawr wedi gorchuddio'r relings yn un carped gwyrdd hefo ambell gloch fawr wen yma ac acw. Enw arall arno ydi clych y perthi sy'n enw llawer iawn harddach. Fe all hwn fod yn broblem yn yr ardd am ei fod yn gallu gorchuddio clawdd a gwrych mewn dim o dro. Rhyw gordeddu am blanhigion eraill mae o gan ddefnyddio tendrilau i'w rwymo'i hun wrth lwyni neu unrhyw beth praff fel relings, ac wedyn wrth gwrs mae'n gallu bod yn niwsans. Ond bobol, mae'r blodyn yn un tlws a'r petalau wedi ffurfio un gloch neu gwpan wen.

## Dydd Mercher, 11 Medi

Diwrnod cymylog hefo digon o awyr las i wneud trowsus llongwr, felly mae gobaith iddi godi'n braf.

Aeth y gwenoliaid yn wallgo heddiw. Roedden nhw'n gwneud campau uwchben Meillion ac o gwmpas Tŷ Croes nes fy mod i'n ofni gweld rhai ohonyn nhw'n bwrw eu hunain yn erbyn talcen y tŷ ond, yn rhyfeddol, roedden nhw'n ei osgoi bob tro. Yna'n sydyn bwt, roedden nhw wedi diflannu.

Twyllodrus oedd y mymryn o awyr las. Fe ddaeth yn law mân cyn diwedd y pnawn.

### Dydd Iau, 12 Medi

Diwrnod cymylog ond mwy o haul na ddoe. Mae 'na ias oer yn y boreau rŵan, a heddiw fe ddaeth mwy o adar nag a welais i drwy'r haf i chwilio am fwyd ar ben y wal. Y socan eira oedd un. Aderyn tebyg iawn i'r fronfraith ydi hwn ac yn perthyn i'r un teulu, ond mae'n fwy aderyn a'r fron fraith fel petai wedi ei rhannu'n ddwy hefo'r hanner uchaf yn union o dan y pig yn felynach yr olwg. Mae yna wawr gochlyd i'r aderyn hefyd. Ymwelydd dros y gaeaf ydi o ac fe fydd yr adar cyntaf yn cyrraedd yma o'r Gogledd tua mis Awst. Bydd rhai yn aros i nythu yng Ngogledd yr Alban.

### Dydd Gwener, 13 Medi

Diwrnod bendigedig o braf. Awyr las ddigwmwl a'r mynyddoedd yn glir o Benmaen-mawr i ben draw Llŷn, ond heb fod yn rhy glir, felly mae gobaith y gwna'r tywydd hwn bara. Mynd am dro ar hyd Lôn Ceint a sylwi fod yr aeron coch tywyll ar y ddraenen wen yn un fantell drwchus. Roedd mwy o flodau nag arfer ar y ddraenen

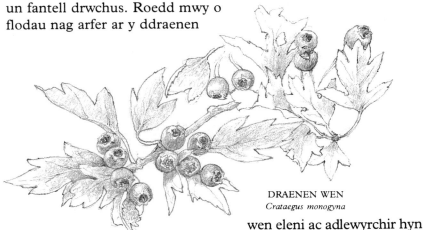

DRAENEN WEN
*Crataegus monogyna*

wen eleni ac adlewyrchir hyn yn y cnwd o aeron. Mae coel fod cnwd mawr o aeron yn yr hydref yn argoel o aeaf caled ond dydw i ddim yn credu hynny. Arwydd o'r hyn sydd wedi bod yn hytrach na'r hyn sydd i ddod ydi o mi greda i. Mae'r aeron yn gynhaliaeth bwysig iawn i adar yn ystod tymor yr hydref.

Nosi'n dangnefeddus heno a'r haul yn machlud yn goch.

### Dydd Sadwrn, 14 Medi

Mynd ar daith gerdded pnawn 'ma ar hyd rhai o lwybrau'r ardal. Diwrnod eithriadol o braf a'r eirin perthi yn gloywi yn y gwrychoedd. Eirin tagu ydi'r enw gan rai arnyn nhw am eu bod yn sychu'r geg wrth eu bwyta. Ffrwyth y ddraenen ddu ydyn nhw. Roedd yr erwain yn ei had hefyd a'r gwawl o flodau hufen hardd wedi rhoi lle i'r pennau bychain caled. Ymlaen wedyn heibio Cefn Poeth Bach ac yn ôl heibio Tŷ Croes a chroesi'r llwybr bach yng nghanol y pentref i'r neuadd.

### Dydd Llun, 16 Medi

Nosi'n wych heno. Yr haul yn suddo'n araf ac yn goch dros y gorwel a sŵn yr adar yn trydar yng nghanghennau'r hwyr, a rhimyn main o leuad i'w gweld cyn i'r golau ddarfod a'r tywyllwch ddechrau. Roedd yna awel gynnes heno.

### Dydd Mawrth, 17 Medi

Daeth gwyfyn arall i'r tŷ neithiwr. Yr is-adain felen fawr oedd o. Mae'r lliwiau brown sydd ar yr aden uchaf yn guddliw perffaith iddo yng nghoed yr ardd. Os bydd rhywbeth yn tarfu arno bydd yn codi i hedeg gan ddangos y ddwy aden isaf felen nes dychryn ei elynion. Fe fydd yn hedfan fel arfer o fis Mehefin tan fis Hydref.

Teithio draw i Ysbyty Glan Clwyd ar ôl cinio i gael llawdriniaeth yfory.

### Dydd Gwener, 20 Medi

Peth od ydi colli cyfrif o ddyddiau, ond dyna beth rydw i wedi'i wneud a gadael i'm breuddwydion fy nghario i bobman. Ond heddiw rydw i'n teimlo'n well ac yn dechrau edrych o gwmpas a gweld pethau unwaith eto. Mae'n edrych yn braf y tu allan. Sylwaf fod gwynt gweddol gryf o gyfeiriad y De-ddwyrain yn siglo canghennau'r helygen sydd wrth y clawdd o amgylch yr ysbyty.

### Dydd Sadwrn, 21 Medi

Diwrnod cymylog a'r gwynt o'r Dwyrain.

Daeth pryf teiliwr i mewn i'r ward heno ac roedd yn hofran o gwmpas y golau ar y nenfwd. Roedd yn gyfle da i weld ei adenydd a pha mor osgeiddig mae'n hedfan. Un pâr o adenydd sydd ganddo ac mae'n perthyn i'r *Diptera* — y pryfed go iawn. Mae gan aelodau'r

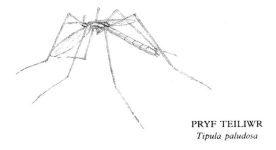

PRYF TEILIWR
*Tipula paludosa*

urdd hon un pâr o adenydd blaen, ond mae'r adenydd ôl wedi eu
newid i ddau stwmp bychan o'r enw tafolion—'halteres' yn Saesneg.
Gwaith y rhain ydi rhoi balans i'r pryf.

Gwasgod ledr ydi un enw ar gynrhonyn pryf teiliwr ac mae'n
gyffredin yn y caeau a'r ydfrain yn hoff iawn o'i fwyta.

*Dydd Sul, 22 Medi*
Diwrnod braf arall, yn heulog a llai gwyntog na ddoe. Cael mynd
adref heddiw.

*Dydd Llun, 23 Medi*
Pen-blwydd Dad. Yr haul yn codi'n fawreddog goch o'r tu ôl i
fynyddoedd Eryri fore heddiw a minnau'n diogi yn fy ngwely gan
gwylio'r awyr yn newid o funud i funud. Dim chwa o wynt ond
roedd pyst dan yr haul — arwydd sicr o law. A hynny'n union fel
y lluniau hen-ffasiwn yn yr ysgol Sul o Grist yn cael ei fedyddio
gan Ioan Fedyddiwr a phelydrau'r haul yn cael eu bwrw ar yr Iesu.
Roedd gwenoliaid o gwmpas heddiw; maen nhw'n sobor o hwyr
yn mynd. Pam tybed?

*Dydd Mawrth, 24 Medi*
Fe ddaeth y glaw. Tua naw bore 'ma fe ddechreuodd dresio bwrw.
Fe ddylai pob garddwr a ffarmwr ddiolch. Mae'r dail wedi dechrau
troi eu lliw ar yr hen goeden jacmor fawr yng ngwaelod yr ardd.

*Dydd Mercher, 25 Medi*
Diwrnod braf o haul ac awel gynnes. Llwyddo i gerdded cyn belled
â Meillion heddiw. Eistedd allan ar ôl cinio i fwynhau'r dafnau olaf

o'r haf bach Mihangel gwych a gawsom ni eleni. Cefais gwmni robin goch a ddaeth i sboncio ar hyd y cowt i chwilio am fwyd. Sylwi heno fod y lleuad yn llawn. Sbio'r *Old Moore's* i weld ai lleuad naw nos olau ydi hi. Ie. Roedd lleuad newydd ar y deuddegfed o Fedi, felly lleuad naw nos olau ydi hon. Ond yn ôl *Old Moore's*, nos Wener y seithfed ar hugain mae'n lleuad lawn.

### Dydd Iau, 26 Medi
Wedi newid tywydd. Mae gwynt cryf yn gyrru o'r De, yr awyr yn gymylog a'r coed afalau yn yr ardd yn cael eu sgytian. Fe hyrddiodd wynt a glaw drwy'r dydd a minnau'n methu â mynd allan i gael awyr iach.

### Dydd Gwener, 27 Medi
Haul bore 'ma a'r gwynt wedi gostegu, er bod yna awel.

Llwyddo i gerdded cyn belled a Thŷ Croes a theimlo fel tawn i wedi rhedeg i fyny'r Wyddfa ddwywaith heb stopio. Mae'r lawnt yn un cwrlid gwyrdd, brown a melyn ar ôl i'r gwynt ysgwyd y coed afalau ddoe. Does dim gwerth o afalau eleni. Rhyw bedwar sydd ar y goeden afalau bwyta a fawr ddim ar yr un goeden arall chwaith. Ond mae'r coed eirin wedi eu sigo gan faint y cnwd. Ar ôl y storm ddoe mae llawer ohonyn nhw yn un carped ar lawr. Mae crib y pannwr wedi mynd i had ar ochr y ffordd yn ymyl y Gilfach. Planhigyn mawr tua phum troedfedd o daldra ydi hwn ac mae pen y ffrwyth yn nodedig. Ceir pum pen a phob un ohonyn nhw'n fawr — tua'r un maint â phen cacamwci. Ond yr hyn sy'n arbennig am y pen ydi'r bracteolau o wahanol faint sy'n ymestyn o'i amgylch nes ei fod yn edrych fel helmed rhyfelwr o'r oes a fu. Mae'r hadau'n fach a degau ohonyn nhw'n llochesu yn y ffrwyth.

### Dydd Sadwrn, 28 Medi
Codi gwynt drwy'r dydd ac fe ddaeth yn ddiffwys o law ar ôl te ac yn storm cyn nos. Llwyddo i gerdded cyn belled â Thŷ Capel heddiw, a synnu gweld cymaint o flodau o gwmpas. Roedd y milddail, llys y llwynog a'r blodyn neidr yn dal yn eu blodau. Ond mae arwyddion yr hydref i'w gweld yn amlwg yn y ffordd mae'r tyfiant ar ochr y clawdd wedi crino a marw.

*Dydd Sul, 29 Medi*
Tresio bwrw glaw a'r defaid yng Nghae Twm yn sefyll yn un rhes
a'u cefnau at y clawdd i geisio mochel tipyn. Diwrnod eithriadol
o ddiflas a minnau'n gaeth i'r tŷ drwy'r dydd. Ond mae'r tŷ yn llawn
o flodau a ffrwythau ac anrhegion, a charedigrwydd teulu, cyfeillion
a chymdogion wedi'i lapio'n dynn amdana i.

LLYGODEN Y COED
*Apodemus sylvaticus*

*Dydd Llun, 30 Medi*
Y dydd olaf o Fedi. Sylwi ar lygoden y coed yn rhedeg
gan ochr y clawdd pnawn 'ma a'i chynffon hir yn siglo y tu
ôl iddi. Un enw arni yn Saesneg ydi'r 'Long-tailed field mouse'.

Dyma'r adeg o'r flwyddyn y dôn nhw'n nes at y tŷ i geisio ychydig o gynhesrwydd dros fisoedd y gaeaf. Creadures hynod o dlws ydi hon hefo'i chlustiau a'i llygaid mawr a'r lliw brown cynnes sydd i'r ffwr. Ei bwyd fel rheol ydi tyfiant ifanc, blagur, ffrwythau, cnau a malwod.

# HYDREF

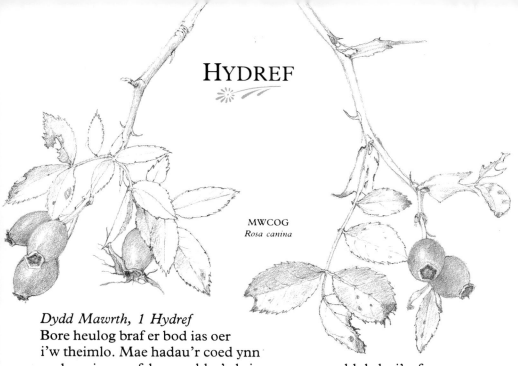

MWCOG
*Rosa canina*

*Dydd Mawrth, 1 Hydref*
Bore heulog braf er bod ias oer
i'w theimlo. Mae hadau'r coed ynn
yn hongian yn felynwyrdd o'r brigau ac yn graddol droi'n frown
cyn cael eu gwasgaru gan y gwynt. Fel mae'r had yn aeddfedu, mae'r
coesyn yn breuo nes yn y diwedd gollwng yn rhydd o'r brigyn a
chael ei gario gan y gwynt i ddechrau coeden newydd mewn man
arall.

*Dydd Mercher, 2il Hydref*
Yr haul yn tywynnu heddiw a phrin fod chwa o wynt i ysgwyd y
dail. Sylwi yn y pnawn fod awyr draeth — 'Awyr draeth, glaw
drannoeth.' O'm profiad i, mae hwn yn ddywediad cwbl
ddibynadwy.

*Dydd Iau, 3ydd Hydref*
Tresio bwrw glaw heddiw! Diwrnod cwbl wahanol i ddoe, a'r gwynt
a'r glaw yn sgytian yr hen onnen fawr wrth ymyl y capel a'r coed
afalau ac eirin yn yr ardd yn ddidrugaredd.

*Dydd Sadwrn, 5ed Hydref*
Diwrnod arall o law a heulwen a'r gwynt yn ddigon oer o'r Gogledd-
orllewin. Mynd i fyny Allt Penmynydd yn y car a gweld y mwcog
yn diferu'n goch ar hyd y cloddiau. Ffrwyth y rhosyn gwyllt ydi'r

mwcog — 'Rosehips' ydi'r enw Saesneg arnyn nhw ac o'r rhain mae'r 'Rose Hip Syrup' enwog yn cael ei wneud. Mae'n ffynhonnell werthfawr o fitamin C ac, yn ystod y rhyfel oherwydd bod prinder ffrwythau, roedden nhw'n cael eu casglu mewn niferoedd enfawr i wneud y triog melyn a'i roi o i blant. O agor y mwcog gellir gweld yr hadau yn wyn y tu mewn, ugain neu well ohonyn nhw. Mae yna flew gwyn, hir drostyn nhw, ac yn blant fe fydden ni'n hoff iawn o stwffio'r hadau rhwng crys a chefn rhyw unigolyn anffodus. Maen nhw'n codi'r cosi mwyaf dychrynllyd a hynny oherwydd y blewiach bach gwyn yma.

### Dydd Mercher, 9ed Hydref
Diwrnod digon cymylog ond mi lwyddais i gerdded cyn belled â'r capel cyn i law mân ddechrau disgyn. Mae'r dduegredynen ddu yn tyfu'n glystyrau ar wal y capel, a waliau a chreigiau ydi ei chynefin. Mae'r sori'n drwch ac yn frown tywyll ar ochr isaf y ddeilen ac yn gorchuddio bron bob darn ohoni.

Mae'r cartheig, blodyn bychan melyn, yn dal yn ei flodau rhwng ein tŷ ni a Thaleilian. Ceir teulu mawr o'r blodau melyn hyn sy'n edrych yn ddigon tebyg i ddant y llew ac nid hawdd ydi gwahaniaethu rhyngddynt. Anarferol ydi ei weld yn ei flodau mor ddiweddar â hyn ar y flwyddyn.

### Dydd Iau, 10ed Hydref
Haul fore heddiw ond mi gododd wynt yn ystod y dydd. Mynd am dro yn y car ar hyd lôn Pentraeth a gweld fod y cnwd o'r helyglys hardd sy'n tyfu wrth ochr Cors Farl, yn libart Plas Llanddyfnan, wedi tyfu'n blanhigion talgryf a'r pennau wedi troi'n wyn am eu bod wedi mynd i had. Ymagor mae'r planhigyn i wasgaru'r had, a'r codau hir yn agor yn bedwar darn hir, main ac yn troi'n ôl er mwyn gadael i'r had sydd ynghlwm wrth barasiwt bach gael ei gario i ffwrdd yn ysgafn gan y gwynt.

### Dydd Gwener, 11eg Hydref
Bore digon oer a gwyntog ond llwyddo i gerdded cyn belled â Nyth. Ceir peth tyfiant ifanc o'r dail tafol a'r danadl poethion yn tyfu yn y gwrych ar hyd Lôn Capel. Ers talwm, roeddem ni blant yn arfer poeri ar y dail tafol a'u rhwbio ar hyd ein coesau pan fyddem wedi llosgi hefo'r danadl poethion.

## Dydd Sadwrn, 12ed Hydref

Gweld fod y blodyn neidr wedi hen fynd i had. Defnyddio'r gwynt i wasgaru'r had mae hwn drwy ffurfio capsiwl bychan i ddal yr had. Pan fo'n aeddfed mae'r darn uchaf yn agor ac yn troi'n ôl o amgylch ceg yr hadlestr gan adael agoriad i'r had gael dod allan a'u gwasgar i'r pedwar gwynt.

Clip ar yr haul heddiw er na welais i mono — roedd gormod o gymylau. Roedd y lleuad yn symud rhwng yr haul a'r ddaear rhwng dau a hanner awr wedi pedwar bnawn heddiw.

## Dydd Sul, 13eg Hydref

Pnawn Sul eithriadol o braf; yr haul yn gynnes ac awel fwyn, ysgafn o'r De. Llwyddo i gerdded dow-dow cyn belled â Dafarn Dirion. Gweld fod chwerwlys yr eithin yn dal yn ei flodau; blodau bychain melyn gwan ydyn nhw a'r antherau'n disgyn allan hefo'r goes yn biws a'r pen yn frown-oren. Anarferol ydi ei weld yn ei flodau mor ddiweddar â hyn yn y flwyddyn; rhaid mai'r tywydd mwyn sy'n gyfrifol am hyn. Roedd y rhan fwyaf o'r blodau eisoes wedi mynd i had, y pennau wedi crino'n frown a'r hadlestr wedi agor fel cwpan bychan i wasgaru'r had.

## Dydd Llun, 14eg Hydref

Bore digon cymylog ond heb fod yn oer, a mynd allan i gerdded cyn i'r glaw ddod. Cerdded cyn belled â Chartrefle a gweld fod dail y bonet nain, sy'n tyfu gyferbyn â Dafarn Dirion, wedi dechrau troi eu lliw ac yn newid o'r gwyrdd i liw piws tywyll ar ochr uchaf y ddeilen, tra bod ochr isaf y ddeilen yn troi'n llwyd. Roedd llys yr hebog yn dal yn ei flodau yr ochr isaf i Nyth a braf oedd gweld ei flodau melyn yn sirioli tipyn ar y clawdd. Yn is i lawr, gyferbyn â'r nant roedd yr heboglys brith yn rhannol yn ei flodau ac yn ei had. Mae'n bur debyg ei fod yn cael yr enw am fod smotiau brown ar y dail yn rhoi'r argraff o frychni.

## Dydd Mawrth, 15ed Hydref

Mae rhaffau coch, oren a gwyrdd o ffrwyth y winwydden ddu yn cordeddu yn y gwrych. Dail gwyrdd, sgleiniog yr un siâp â'r 'Spades' wrth chwarae cardiau sydd i'r winwydden ddu a blodau bychain gwyn digon disylw, ond mae'r ffrwyth yn tynnu sylw. Gan mai planhigyn sy'n defnyddio tendrilau i ddringo ydi o, mae'r ffrwythau'n cael eu gadael ar ôl ar y coesyn. Wrth aeddfedu mae'r ffrwyth yn troi o wyrdd i oren i goch ac yn llygad-dynnu adar ac anifeiliaid. Ceir un garreg (yr hedyn) o'r tu mewn, ac wrth i'r anifail ei fwyta mae'n pasio drwy ei gorff ac yn cael ei adael (yn gymysg â'r tail) ymhell i ffwrdd. Dyna sut y sicrhâ'r planhigyn fod yr ail genhedlaeth yn cael cyfle lled dda i gychwyn egino.

## Dydd Mercher, 16eg Hydref

Diwrnod oer a gwyntog. Rêl tywydd Ffair Borth hefo gwynt, glaw, cawodydd o law ac eirlaw ac ysbeidiau heulog yng nghanol popeth. 'Sgrympia penwaig' fyddan nhw'n galw tywydd fel hyn ym Moelfre. Mynd am dro yn y car ar hyd Lôn Ceint. Er gwaethaf y tywydd garw, roedd yr hydref yn fendigedig ar y gwrychoedd a'r cloddiau, a'r mwcog, yr eirin perthi, aeron y ddraenen wen ac afalau surion bach yn ffynhonnell werthfawr o fwyd i'r anifeiliaid lleiaf a'r adar. Roedd ffrwythau duon yr ysgawen yn eu gogoniant hefyd a'r dail yn troi eu lliw o wyrdd i borffor i felyn gwan ac yn rhoi lliw hudolus i'r gwrychoedd. Ffrwyth du bychan sy'n felys ac yn dda i'w fwyta ydi ffrwyth yr ysgawen hefo tri hedyn bychan y tu mewn. Anifeiliaid ac adar sy'n gwasgaru'r had wrth fwyta'r ffrwyth. Di-nod iawn fyddai un ffrwyth ar ei ben ei hun ond gan fod y pen yn un cyfansawdd, denir sylw'r anifeiliaid gan ddegau o bennau bach duon. Maen nhw wedi denu sylw dyn hefyd dros y blynyddoedd gan fod modd gwneud sawl defnydd ohonyn nhw. Oherwydd bod y ffrwyth yn llawn fitamin C mae'n llesol iawn ar gyfer annwyd, ac wrth gwrs, mae'n gwneud gwin cartref hyfryd.

## Dydd Iau, 17eg Hydref

Ias o farrug peth cyntaf bora 'ma ac yn oer iawn. Ond fe gododd yr haul yn gynnes braf erbyn canol y bore ac roedd yr awyr yn las golau hardd hefo ambell gwmwl gwyn yma ac acw. Roedd y mynyddoedd yn glir ac mi es am dro heibio Tŷ Croes ac i lawr y ffordd drol tuag at Cefn Poeth Bach. Yn gymysg â'r gwair ar ganol y ffordd roedd y meillion coch a'r meillion gwyn yn dal yn eu blodau ac ar y gwrychoedd roedd tyfiant gwyrdd ifanc ar lawredynen y fagwyr. Roedd y llawredynen rymus yn tyfu yma hefyd hefo myrdd o sori bychan oren a brown yn tyfu ar gefn y ddeilen.

Y dydd yn colli'n arw erbyn hyn; roedd yn dywyll am saith heno.

### Dydd Gwener, 18ed Hydref

Dim hanner cystal diwrnod â ddoe. Gwynt cryf o'r De-orllewin a chawodydd o law. Mae ffrwythau'r gwyddfid yn edrych yn unig iawn ar y cloddiau bellach; maen nhw'n glwstwr bach sy'n cynnwys tua deunaw o aeron bychain coch tywyll, ac mae nifer o hadau bychain o'r tu mewn i bob un aeron. Dyma'r unig ran o'r planhigyn sydd ar ôl gan fod y tendrilau, y coesyn a'r dail wedi marw, ond mae'r ffrwyth yn dangos ei ben serch bod y goes wedi troi'n frown ei lliw ac yn fregus iawn.

### Dydd Sadwrn, 19eg Hydref

Bore heulog, braf hefo rhyw ychydig o wynt o'r De-orllewin. Mynd am dro i fwynhau'r heulwen a chyrraedd cyn belled â gwaelod Lôn Rysgol lle mae yna goeden pinwydden yr Alban ers cyhyd ag y medra i gofio. Mae siâp y goeden hon yn gwbl nodweddiadol hefo clwstwr o ganghennau'n plygu i'r naill ochr a'r llall, a'r rhisgl yn frowngoch ac yn glympiau mawr. Roedd nifer o'r moch coed wedi syrthio ar lawr — rhai bach, brown tywyll a'r marcyn bach fel trwyn smwt ar ben pob un o'r cen prennog. Perthyn i'r *Pinaceae* mae'r goeden hon fel pob un o'r coed pîn, ac ychydig iawn ohonyn nhw sy'n gynhenid i Ynysoedd Prydain, ond mae'r binwydden hon yn gynhenid i'r Alban ac wedi cael ei phlannu yng ngweddill Ynysoedd Prydain yn ystod y ddwy ganrif ddiwethaf. Arferai byddigions ei phlannu am eu bod yn credu ei bod yn goeden lwcus ac yn arwydd o ffrwythlondeb a hirhoedledd.

### Dydd Sul, 20ed Hydref

Diwrnod pen-blwydd Bryn, a phnawn gwasanaeth diolchgarwch y plant. Hyrddio gwynt a glaw heddiw, yn gymaint felly nes fy mod i'n gallu gweld y glaw yn cael ei yrru ar draws Cae Twm. Daeth yn niwl trwchus ddiwedd y pnawn. Mae dail y coed sycamor wedi troi eu lliw i gyd erbyn hyn ond mae'r dderwen fach sy'n tyfu yng nghysgod y goeden sycamor fawr yn dal yn rhyfeddol o wyrdd. Felly hefyd dail y coed ynn yng ngwaelod y cae. Wrth edrych draw i gyfeiriad Coed Gylched, does dim ond aeron coch i'w gweld ar y ddraenen wen a dim dail yn unman. Lliw melyn gwan sydd i ddail yr ysgawen erbyn hyn nes gwneud patrwm hyfryd i'r gwrychoedd a'r coed.

## Dydd Llun, 21ain Hydref

Dydd Llun Diolchgarwch, sef y dydd Llun ar ôl y trydydd dydd Sul yn Hydref. Arferai hwn fod yn rhyw fath o Ŵyl y Banc yn yr ardal hon, hefo amryw o'r siopau'n cau am y dydd a gwasanaethau ym mhob capel deirgwaith y dydd. Bellach, mae'r arferiad wedi newid a sawl capel yn cynnal eu gwasanaethau ar y trydydd Sul yn hytrach nag ar y Llun.

Diwrnod heulog, tawel braf ar ôl y storm ddoe. Mynd am dro i Foelfre. Roedd y llanw'n ddigon pell allan i ni fedru chwilio a chwalu am greaduriaid ymhlith y gwymon ar y creigiau.

Roedd y gragen las yn amlwg iawn, a nifer ohonyn nhw'n tyfu mewn gwely hefo'i gilydd. Maen nhw'n clymu'r naill wrth y llall hefo ffibr eithriadol o gryf a'r rhai bach yn tyfu yn ymyl y cregyn mawr. Mae'r gragen las yn fwytadwy ac am eu bod yn glynu yn ei gilydd mae'n gragen sydd yn weddol rwydd ei ffermio. Molwsc ddwy-gragen ydi hi ac yn bwydo drwy hidlo'r plancton (yr anifeiliaid a'r planhigion ungell sy'n nofio yn y môr) drwy ei thagellau.

Yno hefyd roedd y gragen long a'r llygad myharen. Ym mis Hydref y bydd y llygad myharen yn bwrw grawn, ac mae'n debyg mai gostyngiad yn nhymheredd y môr a chynnydd yn ymchwydd y tonnau ydi'r sbardun i hyn ddigwydd. Bydd y larfa yn darganfod craig i lynu wrthi o fewn ychydig ddyddiau ac mae'r creadur bychan newydd yn eithriadol o fach — llai na milimedr o hyd!

Roedd y gwymon danheddog a'r gwymon codog bras yn gorwedd yn ddiffaith yn disgwyl i'r llanw ddod yn ôl i mewn. Alga ydi gwymon ac felly ffrond sydd iddo yn hytrach na deilen. Roedd blaen pob ffrond o'r gwymon danheddog yn un clwstwr o swigod bychain oren, sef y rhannau sy'n cynhyrchu organau rhyw yr alga. Mae'r gwymon brown i gyd yn glynu wrth y graig hefo darn gwydn o ffibrau sy'n cael ei alw y 'gludafael'. Dyma'r darn sy'n angori'r gwymon wrth y graig. Rhaid iddo fod yn eithriadol o gryf neu fe fyddai ymchwydd y tonnau yn sgubo'r planhigyn i'r môr.

Fel yr awgryma'r enw, mae gan y gwymon codog bras nifer o godau neu swigod bychain bob yn ail â pheidio ar hyd y ffrond a'r rhain sy'n gymorth i gadw'r gwymon ar ei sefyll yn y dŵr pan fo'r llanw i mewn. Ynghlwm wrth y gwymon codog bras roedd ambell glwstwr bychan o wymon coch edefynnog.

*Dydd Mawrth, 22ain Hydref*
Bore cymylog a gwyntog a heb fod cystal diwrnod â ddoe er i ni gael tipyn o haul ar ôl cinio.

Daeth y cap inc carpiog i'r golwg ar y lawnt. Enw Cymraeg arall arno ydi'r perwig. Mae'n ymddangos o'r ddaear fel rhyw rolyn o does gwyn sydd â thameidiau bach yn codi o'r wyneb, a dyma, mae'n debyg, y rhan sy'n gyfrifol am yr enw perwig am ei fod yn ddigon tebyg i berwig neu wallt gosod. Mae'r goes yn ymestyn nes bod y darn toes yn sefyll yn glir o'r ddaear. Bydd gwaelod y darn toes wedyn yn dechrau troi i fyny yn araf bach nes ei fod yr un siâp ag ymbarél wen hefo ymylon du iddi. Dan y cap gwyn hwn mae'r tagellau ac o'r rhain y gwasgerir y sborau. Mae'r darn du yn troi'n soeglyd ac yn araf ddatblygu yn rhyw driog du, anghynnes. O agor y darn toes pan fo'n ifanc, mae'r lliw brown tywyll yn y gwaelod yn troi'n binc-oren a'r rhan ucha'n wyn. Dyma'r darn sy'n troi'n ddu fel mae'n aeddfedu. Mae'r ffwng hwn yn fwytadwy tra bo'n dal yn weddol ifanc.

Ffwng arall sy'n tyfu ar y lawnt yn ymyl y coed criafol ydi careiau'r coed. Melynfrown ydi hwn hefo'r tagellau'n felyn-hufennog, y sborau'n wyn a'r coesyn yn frown. O gwmpas rhan uchaf y coesyn, rhyw hanner modfedd yn is na'r cap, mae cylch melyn sy'n nodweddiadol o'r *Armillarae*. Gellir bwyta hwn hefyd, fel nifer o ffyngoedd sy'n cynhyrchu corff hadol — dyma'r mysiarwm neu'r grawn unnos sy'n ymddangos ar wyneb y ddaear. Mae dyn wedi bod yn bwyta gwahanol fathau o fysiarwms ers canrifoedd ac roedd y Groegiaid a'r Rhufeiniaid yn arbennig o hoff ohonyn nhw. Ond mae angen bod yn ofalus gan fod amryw yn wenwynig!

*Dydd Mercher, 23ain Hydref*
Diwrnod braf o haul ac awel a'r mynyddoedd yn glir erbyn y pnawn.

Llwyddo i berswadio Elwyn i symud y coed rhosynnau, a gweld bod ffwng bach brown, bregus yn tyfu ym môn un ohonyn nhw.

Mynd am dro yn y car cyn belled â Mynydd Twr ar ôl cinio a cherdded tipyn ar y llwybr ger Twr Elin. Roedd y silffoedd lle roedd y llurs a'r gwylog yn nythu yn ystod y gwanwyn yn wag i gyd. Dim ond ambell wylan oedd o gwmpas a thair brân goesgoch.

111

### Dydd Iau, 24ain Hydref
Diwrnod Ffair Borth.

Glaw, gwynt a chymylau du heddiw. Mynd draw i Glwyd a rhyfeddu at dlysni'r coed. Roedd caleidoscop lliwiau'r hydref yn felyn, coch, oren, brown a gwyrdd ar y coed ac yn harddu'r gwrychoedd a'r cloddiau.

### Dydd Gwener, 25ain Hydref
Roedd yn dawelach bore 'ma ar ôl y storm neithiwr, ond gwnaeth gawodydd trymion drwy'r dydd rhwng cyfnod o awyr las a heulwen braf. Rhoi hosan gnau ar y goeden afalau er mwyn dechrau bwydo'r adar dros y gaeaf heddiw. Roedd yn braf gweld titw tomos las yn cyrraedd i fwydo cyn gynted ag y rhois hi allan. Sylwi fod y lleuad yn llawn heno. Lleuad yr heliwr ydi hon.

### Dydd Sadwrn, 26ain Hydref
Diwrnod gwyntog a chawodydd trymion bob yn ail â pheidio. Sylwi fod cynffonnau gwynt yn hel pnawn 'ma. Fe fydd yn siŵr o law yfory. Mynd am dro cyn belled â Bryn Gors. Roedd dail y jacmor yn llenwi'r ffordd yng ngwaelod Lôn Capel, ac roedd ôl ffwng yn tyfu ar y rhan fwyaf ohonyn nhw. Tameidiau duon ar y dail crin oedd y rhain ac wrth edrych ar ddeilen jacmor werdd sydd wedi disgyn i'r llawr mae cylchoedd du tua sentimedr mewn diamedr gyda ymyl melyn o'i gwmpas i'w gweld yn glir. Ffwng y gawod neu'r gawod ddu ydi'r rhain. Perthyn i'r *basidiomycetes* y maen nhw ac mae tua 25,000 o wahanol rywogaethau o ffwng yn perthyn i'r grŵp hwn. Parasitiaid ar blanhigion eraill ydi'r gawod ddu. Mae yna un math sy'n effeithio ar wenith ac yn gallu creu difrod dychrynllyd i gnydau.

Erbyn hyn roedd y byddon chwerw wedi mynd i had; hadau bach ysgafn sy'n cael eu gwasgaru gan y gwynt. Ond, yn rhyfeddol, roedd blodau bychain yn dal ar y danadl poethion. Lleuad lawn ond yn prysur gael ei boddi gan y cymylau duon.

Troi'r awr heno.

### Dydd Sul, 27ain Hydref
Gwynt a glaw yn hyrddio'n ddiddiwedd drwy'r dydd. Mae'n debyg, yn ôl pobl hollwybodus y tywydd, mai diwedd Corwynt 'Lily' fu'n creu cymaint o ddinistr yng Nghiwba ryw ddeg diwrnod yn ôl ydi

hwn. Diwrnod sobor o ddiflas. Gorfod aros yn y tŷ drwy'r dydd ac roedd yn dywyll tua chwech.

*Dydd Llun, 28ain Hydref*
Mae'n dal yn stormus. Gwyntoedd cryfion o'r De-orllewin a glaw yn arllwys yn ddidrugaredd. Aeth y defaid i gyd i chwilio am gysgod

Mynd yn y car i Lanfair fore heddiw a sylwi fod barf yr hen ŵr wedi creu cwrlid hufennog ar y gwrych gyferbyn â Phen Ceint. Planhigyn sy'n dringo ydi hwn, y coesyn yn lliw piws a'i ddail yn wyrdd golau. Ond yr hyn sy'n arbennig amdano ydi'r ffrwyth. Mae'n ffurfio pen cyfansawdd o saith neu fwy o bennau a chan bob un o'r pennau tuag ugain o blu ysgafn, troellog, lliw hufen yn codi ohono. Mae'n dlws i'w ryfeddu ac yn feddal, esmwyth i'r llaw, ac wrth edrych ar y cwrlid o bell digon hawdd ydi gweld sut y cafodd ei enw. Mae'n edrych yn union fel barf wen sydd angen ei thwtio.

*Dydd Mawrth, 29ain Hydref*
Y tawelwch ar ôl y storm ydi hi bore 'ma,
hefo rhyw gymaint o awyr las a fawr
ddim awel. Mynd draw i'r Felinheli
a gweld gwiwer lwyd yn y coed
ger hen Ysgol Aberpwll. Roedd
yn sboncio'n brysur o gangen
i gangen, ei chefn yn llwyd a'i
bol yn wyn, a gwawr frown ar ei
chorun, ac ar hyd canol
ei chefn. Roedd yn
eithriadol o fywiog

GWIWER LWYD
*Sciurus carolinensis*

wrth chwarae mig hefo'r haul rhwng y brigau, a'i chynffon fawr, flewog yn neidio o'r tu ôl iddi. Dydi'r wiwer lwyd ddim yn gynhenid i Ynysoedd Prydain: fforestydd Gogledd America ydi ei chartref naturiol. Ond mae'n debyg iddi gyrraedd Gogledd Cymru tua 1830, ac yn ddiweddarach i wahanol rannau o Wledydd Prydain. Bellach mae'n gyffredin drwy Gymru a Lloegr ac yn disodli'r wiwer goch gynhenid. Mae'n bwyta blagur, dail, blodau, paill a'r sudd sydd i'w gael dan risgl pren. Y dderwen ydi'r ffefryn ganddi ond fe fydd hefyd yn bwyta'r sycamorwydden, y fasarnen leiaf, ffawydden, castanwydden a'r gollen. Mae ffrwythau, aeron, ffwng a gwreiddiau hefyd at ei dant. Gall y fanw fagu dau dylwyth mewn blwyddyn, y cyntaf rhwng Ionawr a Mawrth a'r ail rhwng Mai a Gorffennaf. Fel rheol, rhyw dri o rai bach sy'n cael eu geni ac fe fyddan nhw'n sugno am ddeufis. Un diog ydi'r tad — dydi o'n gwneud dim i helpu'r fam i fagu'r epil.

GWIWER GOCH
*Sciurus vulgaris*

# TACHWEDD

MADARCH Y MAES
*Agaricus campestris*

*Dydd Gwener, 1 Tachwedd*

Brysio i fynd am dro bore 'ma cyn i'r glaw ddod, a dim ond cael a chael oedd hi. Mynd i lawr heibio Tŷ Croes a thrwy gaeau Cefn Poeth Bach, ar draws drwy'r llwybr heibio Cefn Poeth Mawr a Sain Bedol ac yn ôl drwy Lôn Capel. Roeddwn wedi blino'n lân.

Ychydig iawn o gnau oedd ar ôl ar y coed cyll ond roedd cynffonnau ŵyn bach eisoes wedi ffurfio'n rholiau bach caled, gwyrdd gydag ias o frown tua hanner modfedd o hyd. Yn ôl y cyfrinachau a ddaeth i'r fei wrth astudio paill wedi ei ffosileiddio, mae'n bur debyg fod y rhan fwyaf o Ynysoedd Prydain wedi eu gorchuddio â choed cyll ar ôl Oes yr Iâ. Fe ddarganfuwyd plisgyn caled y cnau hefyd mewn mawnogydd, sy'n awgrymu bod helwyr Oes y Cerrig yn eu bwyta. Mae adar a mamaliaid bychan yn hoff o'u casglu a'u cuddio mewn rhyw dwll neu guddfan dros y gaeaf. Dyma un ffordd o wasgaru'r had ymhell o'r goeden.

Roedd y gollen yn bwysig i'r Celtiaid am eu bod nhw'n credu mai hon oedd Coeden Pob Gwybodaeth ac mae'r Gwyddelod yn credu y gall cario cneuen yn eu poced eu hamddiffyn rhag pob mathau o boen. Roedd y gneuen hefyd yn cael ei defnyddio rhag y ddannodd yn Nyfnaint a hyd yn oed rhag gwrachod yn yr Alban.

Mi gefais helfa dda o fadarch yng nghaeau Cefn Poeth Mawr ac roedd andros o flas da arnyn nhw, cymaint gwell na'r rhai a geir mewn siop.

*Dydd Sul, 3 Tachwedd*
Diwrnod stormus a gwyntoedd cryfion o'r De-orllewin, ond dydi hi ddim yn oer iawn.

Mynd am dro ar hyd Lôn Bwbach ar ôl te. Roedd Ty'n Llan yn adfail distaw yng nghysgod eglwys Llanddyfnan ar y chwith i ni a Gwenfro Uchaf yn llechu yng nghysgod y bryn. Bu'r grŵp archeoleg lleol yn cloddio ar hyd Lôn Bwbach er mwyn gweld a oes hen ffordd Rufeinig yma, ac yn ôl pob golwg mae un. Yn sicr mae cerrig wedi eu gosod mewn dull sy'n awgrymu mai hen lôn Rufeinig ydi hi, er bod peth gwahaniaeth barn, a rhai yn credu mai dyddio o'r Oesoedd Canol yn unig y mae hi. Beth bynnag ydi'r gwirionedd, mi fydda i wrth fy modd yn ei cherdded i fyny at Bryn Sieri, er gwaetha'r enw — Lôn Bwbach. Ysbryd y Brenhinwr a oedd yn byw yn y Plas ac a gafodd ei ladd gan ddilynwyr Cromwell ydi hwn, ac mae sawl stori ar led am wahanol rai yn gweld ysbryd yma gefn trymedd nos, ond welais i erioed mono.

Mae clawdd a gwrych uchel o bobtu'r ffordd ac amrywiaeth o goed yn tyfu yma — y gelynnen yn ei gwisg Nadoligaidd, yr onnen, y gollen, a'r ffawydden. Chwythodd y gwynt lawer o'r dail oddi ar y ffawydden ac roedd amryw o'r lleill wedi troi eu lliw nes gwneud clytwaith cynnes o wyrdd a melyn, oren a brown. Roedd y blagur (blagur y gwanwyn nesaf) eisoes wedi dechrau ffurfio yn frown a siâp sigâr arnyn nhw. Roedd plisgyn cnau ar lawr dan y coed — yn fwy na thebyg wedi cael eu bwyta gan lygoden y coed. Torrwyd twll bach crwn yn ochr y gneuen, yn union fel tae rhyw 'Black and Decker' bychan wedi ei ddefnyddio i'w dorri.

Roedd amryw o ffyngoedd yn tyfu dan y coed. Gan fod afon fechan yn croesi dan Lôn Bwbach mewn un man ceir llefydd digon gwlyb ar y lôn hefyd sydd eto'n rhoi amrywiaeth o ffyngoedd. Y cap brau drewllyd oedd un — un mawr hefo tagellau gwyn a'r canol yn troi tuag at i mewn nes ei fod yn edrych fel ymbarél wedi troi tu chwith allan. Torthau'r tylwyth teg oedd un arall — ffwng cymharol fach hefo cap melyn tlws iddo a'r goes yn wyn neu'n hufennog.

Does gan ffyngoedd ddim cloroffyl, ac felly rhaid iddyn nhw ddibynnu ar blanhigion eraill am eu bwyd. Os ydyn nhw'n byw ar blanhigion sy'n fyw, parasitiaid ydyn nhw, ond os ydyn nhw'n tynnu maeth allan o blanhigion marw, yna saproffytau ydi'r term a ddefnyddir. Mae rhai sy'n byw ar anifeiliaid fel crwn neu'r darwden, y 'ringworm' yn Saesneg, sy'n tyfu ar ddyn. Ffordd y ffwng o dyfu ydi drwy'r myseliwm, sydd fel arfer o'r golwg naill ai tan y ddaear neu ym moncyff coeden. Mae'r myseliwm, sy'n edrych yn debyg i edafedd gwyn wedi ei ddirwyn, yn tyfu drwy wthio allan hyffa neu edefyn bychan.

Fe all ffwng ddinistrio cnydau a bwyd a chreu difrod sylweddol. Ond maen nhw hefyd yn lles mawr ym myd natur am eu bod nhw'n allweddol wrth ddadelfennu anifeiliaid a phlanhigion pydredig, gan eu torri i lawr i elfennau syml sy'n cael eu trosglwyddo'n ôl i'r pridd. Fe fydd planhigion newydd wedyn yn amsugno'r elfennau hyn fel maeth drwy'r gwreiddiau.

*Dydd Llun, 4 Tachwedd*
Mae'n dal yn stormus a'r gwynt yn chwythu'n gryf o'r De-orllewin, ac er bod llygedyn o haul bore 'ma buan y daeth 'na gawod o genllysg.

Mae'r dail tafol wedi hen golli'r dail gwyrdd erbyn hyn a'r planhigyn i gyd wedi troi'n lliw rhwd cyfoethog. Mae'r had i gyd yn tyfu o gylch y goes mewn clystyrau bychain browngoch. Yn blant roedden ni'n arfer casglu'r rhain drwy dynnu'n llaw o waelod y coesyn i'r pen. Y rhain oedd ein siwgwr ni wrth chwarae tŷ bach ers talwm — cyn i'r dyddiau fyrhau gormod a ninnau'n gorfod aros yn y tŷ.

*Dydd Mawrth, 5 Tachwedd*
Gan ei bod yn llawer tawelach bore 'ma a pheth haul dyma fynd am dro i Goed Llyn Mair ym Maentwrog.

Roedd y coed yn eu lliwiau meddal, hydrefol o bobtu'r ffordd i lawr drwy Waunfawr a Beddgelert, lliwiau brown, melyn a gwyrdd y dderwen a'r fedwen yn llyfn ar y llethrau ac yn gynnes yng ngolau'r haul.

Coeden amlwg iawn yma oedd y dderwen ddi-goes, a llu o fes wedi disgyn i'r llawr a'r mwyafrif helaeth wedi cael eu hagor a'u bwyta gan greaduriaid bach. Dim ond y cwpanau bach oedd ar ôl a phlisgyn y fesen yn wag ar lawr. Roedd blagur y dderwen yn bytiau bach brown pigfain a'r dail yn newid eu lliw o wyrdd i frown. Mae'r ddeilen labedog, sydd mor nodweddiadol o'r dderwen, hyd yn oed yn harddach yn yr hydref. Roedd cannoedd o dderw ifanc ar lawr y goedwig, ond ychydig o'r rhain a dyf i fod yn goed mawr. Yn y goedwig hon ceir rhai coed sydd yn hen ac mae'r rheiny'n noddi haenau o fywyd gwyllt: mwsoglau, rhedyn fel llawredynen y derw, ffwng ac eiddew, sy'n lloches i bryfetach, adar ac anifeiliaid ac yn ffynhonnell o fwyd iddyn nhw hefyd. Gan fod y goedwig dderw yn fan gweddol olau gall planhigion ffynnu ar y llawr hefyd.

Bu'r goedwig dderw yn bwysig yng Nghymru ers canrifoedd. Gallai defaid bori dan y coed ac yn yr hydref roedd y moch yn cael eu troi yno i besgi ar y mes. Fel roedd dyn yn troi o fod yn heliwr i fod yn amaethwr, câi'r deri eu defnyddio i adeiladu tai ac i wneud dodrefn. Roedd angen coed tal ar gyfer adeiladu llongau, a thros y blynyddoedd mae dosbarthiad y goedwig dderw wedi cwtogi'n sylweddol. Un o'n coed cynhenid ni yng Nghymru ydi'r dderwen ac fe all dyfu am wyth can mlynedd!

Erbyn heno roedd wedi ailgodi gwynt ac yn tresio bwrw glaw.

### Dydd Mercher, 6 Tachwedd
Noson eithriadol o stormus neithiwr eto, ac erbyn heddiw mae'r gwynt wedi symud i'r Gorllewin ac yn dal i chwythu'n flin hefo cawodydd bob yn ail â pheidio.

Mynd i lawr i gael golwg ar goeden dderw fach yng ngwaelod yr ardd. Mae'r dail ar hon yn llawer mwy gwyrdd na'r rhai a welais i ddoe, er bod y rhain hefyd yn dechrau troi eu lliw bellach. Mae'r ochr igam-ogam sydd i'r dail hefyd yn llawer dyfnach a'r mes yn tyfu ar goesyn bychan yn hytrach nag yn uniongyrchol o goes y goeden, sy'n dangos yn glir mai'r dderwen goesog ydi hon.

Mynd i chwynnu tipyn ar y gwely blodau a cheisio cael gwared ar ychydig o'r dail crin oedd wedi glynu rhwng y blodau. Roedd gwlithen yno — mae'n siŵr mai hon a'i chyfeillion sydd wedi bod yn bwyta fy mlodau i drwy'r haf!

### Dydd Gwener, 8 Tachwedd
Bore heulog, distaw ond oer. Mynd i lawr Lôn Capel, i fyny drwy'r pentref, heibio Cae'r Mynydd ac yn ôl heibio'r ysgol. Roedd pobman yn lân ar ôl y glaw, a sgeintiad o eira ar ben Carnedd Llywelyn.

'Os bydd eira wedi disgyn cyn y pumed o Dachwedd mi fydd y gaeaf wedi ei 'thylu.' Wel, dyma'r eira cyntaf i mi ei weld eleni. Ystyr y ''thylu' ydi erthylu wrth reswm, a'r syniad fod y gaeaf yn cael ei fwrw heibio cyn iddo gyrraedd yn iawn. Tybed, felly, a ydyn ni am gael gaeaf caled eleni?

Sylwi fod bedwen arian yng ngardd Rhyd-y-Ddima-Bach â nifer o 'nythod' yn y canghennau. Nid nythod ydyn nhw mewn gwirionedd ond ysgubau'r wrach, sef nifer o fân frigau'n tyfu blith draphlith. Mae hyn yn digwydd pan fo'r blagur yn cael eu plagio gan naill ai ffwng bychan neu leuen. Nid y rhain sy'n cael eu defnyddio i wneud ysgubau fel y rhai y mae gwrachod i fod i hedfan arnyn nhw!

*Dydd Sul, 10 Tachwedd*
Bore distaw a'r haul yn disgleirio ar bopeth ar ôl y glaw trwm neithiwr. Roedd dafnau o law yn dal i ddiferu o'r coed yn yr ardd a'r rheiny'n adlewyrchu pob un o liwiau'r enfys. Roedd edefynnau hir, bregus o we'r pryfed cop yn llinynnu rhwng brigau isel y tresi aur a'r pryfed cop eu hunain i'w gweld yn brysur yn eu gwe dan fondo'r cwt haf.

Mae gwe pry cop i mi yn un o'r pethau harddaf ar wyneb y ddaear ac yn rhyfeddod. Gall pryfed cop ifanc blethu'r patrwm cymhleth lawn cystal â'r rhai hŷn. Ond sut mae hynny'n bod? Ydi'r fanw yn dysgu'r rhai bach neu a ydi'r wybodaeth yn rhan gynhenid o'u natur? Yn sicr, mae'n batrwm cymhleth, ac fel rheol fe fydd y pryf cop yn creu un edefyn rhwng dau bwynt cyson — er enghraifft, rhwng dau bren neu ddau blanhigyn. Wedyn fe fydd yn rhedeg yn ôl ac ymlaen gan gryfhau'r bont a greodd. Yna, paratoi gwe sy'n rhydd ond ar yr un pryd yn dirwyn yn ôl i'r pen arall. Wedi sicrhau fod hon yn ddigon tyn, yn ôl ag o i'r canol ar yr edefyn sy'n rhydd ac wedyn gadael i hwn ddisgyn i lawr nes ei fod wedi ei dynnu'n dynn o'r ddau ben gan ffurfio triongl. O bwynt isaf y triongl, fe fydd yn cychwyn gwe at i lawr nes gwneud siâp y llythyren Y cyn sicrhau'r pen isaf hwn wrth blanhigyn. Canol yr Y ydi canol y we ac wedyn, yn raddol, fe ychwanega sawl radiws drwy weithio ei ffordd yn ôl ac ymlaen yn ddygn o'r canol. Wedyn fe fydd yn gorffen y darnau canol drwy weithio ei ffordd rownd a rownd y radiws yn gylchog i wneud y patrwm gorffenedig.

119

Ond er mor hardd ydi'r we trap angheuol i ddal y prae ydi hi. Rydw i wedi sylwi lawer gwaith ar bryf cop yn y tŷ pan fo gwybedyn mawr wedi mynd i'r we ac yn ceisio ymryddhau. Fe â'r pryf cop at y gwybedyn a dechrau plethu mwy o edefynnau o'i gwmpas i wneud yn siŵr nad ydi o'n dianc. Ar yr un pryd mae'n rhoi pigiad iddo o gymysgedd o wahanol ensymau sy'n sicrhau fod corff y prae yn cael ei ddadelfennu ac felly'n troi'n bryd blasus i'r heliwr.

Roedd trwch o eira ar y mynyddoedd heddiw ac roedd wedi oeri'n arw erbyn y nos.

### Dydd Llun, 11 Tachwedd
Bore oer a'r barrug yn drwch.

Roedd codau'r tresi aur yn hongian ar agor a'r hadau bach duon i'w gweld yn blaen. Felly, dyma gasglu rhai ohonyn nhw a'u plannu mewn potyn ar sil ffenest y gegin i weld a ga i hwyl ar eu tyfu nhw.

### Dydd Mawrth, 12 Tachwedd
Bore mileinig o oer a'r gwynt yn gryf o'r Gogledd-ddwyrain. Roedd swn y plant ar gowt yr ysgol i'w glywed yn glir. Mae'r glaw ar ei ffordd.

> 'Swn y trên yn agos
> A swn y môr o bell,
> A swn y brain yn crawcian
> Draw yng Nghoed y Gell.'

Pan glywa i swn y trên draw o gyfeiriad Cors Falltraeth mi wn fod glaw yn siŵr o ddilyn.

Roedd brych y coed wedi glanio ar ben y garej pnawn 'ma, bron yn union gyferbyn â ffenest y llofft. Roedd yn brysur yn yfed o'r dŵr a oedd wedi cronni ar y to. Mae'n ddigon tebyg i'r fronfraith ac yn perthyn i'r un teulu ond yn fwy ac mae ei fron yn oleuach a'r smotiau yn amlycach. Fe'i clywir yn canu o fis Rhagfyr ymlaen ac mae'n un o'r adar cyntaf i fagu nythaid o gywion. Mae hefyd yn fileinig wrth amddiffyn y nyth ac yn fodlon ymosod ar anifeiliaid llawer mwy nag o'i hun.

Sylwi hefyd ar fwyalchen wedi aros i gael diod o ddŵr o'r cafn adar yn yr ardd isaf.

Digon gwir oedd y gair — fe ddaeth yn law cyn nos.

## Dydd Mercher, 13 Tachwedd

Bore heulog, braf a phenderfynu mynd am dro i gyfeiriad Ardudwy. Troi yn Llanbedr a dilyn y ffordd heibio i'r Salem enwog am Gwm Nantcol. Roedd y deri a'r bedw yn anhygoel o hardd o bobtu'r ffordd a sawl celynnen a'r aeron yn goch ar ei brigau. Gwelais y cudyll coch ac fe hedfanodd bwncath yn union ar draws y ffordd o'n blaenau. Parcio ar ôl cyrraedd Maes y Garnedd, cartref John Jones a fu mor deyrngar i achos y Seneddwyr yng Nghymru ac yn un o'r rhai a arwyddodd y warant i ddienyddio Siarl 1. Roedd y cwm yn dangnefeddus — yn gymysgedd o frown, lliw rhwd a llwyd ar hyd y llethrau a'r hydref wedi crafangu ei afael ar y tir.

Dilyn y llwybr i gyfeiriad Bwlch Drws Ardudwy, yr haul yn gynnes ar ein cefnau, y Rhinog Fawr ar y chwith a'r Rhinog Fach ar y dde. Pobman mor dawel. Dim ond sŵn y nant ac ambell fref dafad o'r pant islaw a'r geifr o'r creigiau ysgythrog uwchben. Roedd ôl y glaw dros yr wythnosau diwethaf ymhobman a'r ddaear yn wlyb iawn a sŵn ein sgidiau'n suddo i'r migwyn wrth gychwyn troedio'r llwybr. Roedd y frwynen gymalog a'r frwynen babwyr yn tyfu yn y fan yma. Hon oedd yn cael ei defnyddio, ynghyd â saim o'r ddafad yn amlach na pheidio, i wneud canhwyllau.

Ymhellach draw ar y llwybr roedd amrywiaeth o gen yn tyfu ar y creigiau llorweddol. *Cladonia* oedd un ohonyn nhw. Cen bychan, llwyd sy'n ffurfio math o gwpan bychan ar ben coesyn bach. Dydi'r cyfan ddim mwy na phen pin ond yn eithriadol o gain.

Rhwng y creigiau uwchben roedd modd gweld ambell sbecyn gwyn lle roedd y geifr yn pori.

## Dydd Gwener, 15 Tachwedd

Bwrw glaw mân yn ddistaw drwy'r dydd heddiw eto. Dydi hi ddim yn oer chwaith. Wir, mae'n reit glaear i'r adeg o'r flwyddyn. Mae'r titw tomos las wedi bod yn sboncio hyd y spriwsen Norwy yng nghae'r Wern ac yn pigo'r moch coed melynfrown sydd ar flaenau'r brigau. Fe ddefnyddir y pren, sy'n felyn golau, ar gyfer gwneud bocsys, bareli, papur ac offerynnau cerdd fel y ffidil a'r soddgrwth.

## Dydd Sul, 17 Tachwedd

Awyr las ac ychydig o heulwen heddiw ar ôl sawl diwrnod gwlyb a niwlog ond mae'n llawer oerach a'r gwynt o'r Gogledd-orllewin.

Mynd am dro i lawr Lôn Capel ac i fyny ar hyd ffordd Fron Deg i gyfeiriad Pen Bryn. Roedd rhywun wedi bod wrthi'n brysur yn torri'r gwrychoedd ac roedd y Gors i'w gweld yn glir yn ganfas llwydfrown yn y pant islaw, a mynyddoedd Eryri ymhell tu draw. Cerdded i fyny'r lôn drol at Ben Bryn a throi wedyn dros y gamfa ac ar hyd y cae. Roedd yn gysgodol iawn yn y fan yma a'r haul yn gynnes ac roedd y blodyn neidr yn dal yn ei flodau ym môn y clawdd a digon o aeron coch y ddraenen wen ac eirin tagu ar y gwrych. Croesi'r ail gamfa a dilyn y llwybr sy'n arwain rhwng caeau Neuadd Cadwgan a Heulog Fain at y Comins ac yn ôl o'r fan honno adref drwy Lôn Capel.

*Dydd Llun, 18 Tachwedd*

Bore heulog er bod ambell gwmwl go dywyll o gwmpas. Gweld wyth turtur dorchog yng ngwaelod yr ardd bore 'ma. Gan ei bod yn fore mor braf dyma benderfynu mynd am dro ar draws gwlad i dwyni tywod Niwbwrch. Parcio'r car wrth Lyn Rhos Ddu a cherdded i lawr ar hyd y llwybr i gyfeiriad Traeth Melynog. Doedd fawr neb o gwmpas, yr awel yn fwyn, y mynyddoedd yn glir ac yn wyn bron i'w traed a'r Fenai ar drai ac yn hollol lonydd. Wrth nesu at y twyni tywod roedd y moresg yn dod yn fwyfwy amlwg.

'Mae Moresg gwyn yn Niwbwrch
Gan bawb yn cynnau tân
A noson Ffair Glangaea
Mae'n hawdd cael genath lân'

yn ôl canu lleol ac, wrth gwrs, ar un adeg roedd yma fynd ar wneud matiau yn Niwbwrch drwy blethu'r moresg. Mewn gwirionedd, y moresg neu, a bod yn fwy manwl, gwreiddiau'r moresg sy'n cychwyn ffurfio'r blaendwyni trwy ddal y tywod rhwng y gwreiddiau. Wrth i'r twyni sefydlogi mae mwy a mwy o'r moresg yn tyfu nes ffurfio'r twyni enfawr rydyn ni'n gyfarwydd â nhw. Yn fwy i mewn yn y tir mae'r sefydlogi hwn yn rhoi cyfle i blanhigion eraill ddechrau tyfu ac mae amrywiaeth eang o blanhigion i'w canfod yn y llaciau tywod. Hyd yn oed yr adeg hon o'r flwyddyn, pan fo pob blodyn wedi hen ddarfod, mi gefais hyd i amrywiaeth o ffwng gan gynnwys coden fwg.

O ben y twyni roeddwn i'n medru edrych draw i gyfeiriad pentref Niwbwrch neu Rosyr, a rhoi'r enw cywir arno. 'Newborough' oedd yr enw ar y lle ar ôl i Edward I goncro'r Ynys, a ffurf Gymraeg ar yr enw Saesneg ydi Niwbwrch. Roeddwn i'n medru gweld Cae Llys lle mae archeolegwyr wedi bod wrthi'n ddiweddar yn cloddio hen safle llys y Tywysogion.

Ddiwedd y pnawn roedd yr haul yn machlud yn goch a'r cochni'n cael ei adlewyrchu'n odidog ar Eryri.

## Dydd Mawrth, 19 Tachwedd

Codi i fyd gwyn bore 'ma, a'r gwynt yn chwipio'r eirlaw yn ddidrugaredd o'r Dwyrain. Roedd yn oer ac yn flin allan a phawb yn rhuthro am glydwch tŷ a thân. Doedd dim adar o gwmpas chwaith, dim ond ambell frân yn pigo'n ofer yng Nghae Twm.

Sylwi fod hadau'r tresi aur a blennais i rai dyddiau'n ôl yn dechrau egino a dwy o'r blaenddail yn ymddangos yn wylaidd o'r pridd gan blygu eu pennau wrth godi o'r düwch. Rhyw wythnos go dda maen nhw wedi'i gymryd i egino.

## Dydd Mercher, 20 Tachwedd

Roedd yn weddol dawel bore 'ma ar ôl y storm neithiwr, a'r haul yn gwenu'n slei rhwng cawodydd o genllysg. Mynd i'r ardd i glirio chydig o frwgaets a dail crin ar ôl cinio. Mi godais hen ddarn o bren a oedd wedi disgyn a gweld swp o lyngyrod daear yn corddeddu'n binc yn y pridd agored odano. Deiliach sy'n pydru yn y pridd ydi prif gynhaliaeth y llyngyren, ond fe wnaiff fwyta unrhyw beth organig sy'n pydru, boed anifail neu blanhigyn. Dyna un rheswm pam mae'r llyngyren mor bwysig i ffermwyr a garddwyr. Mae pob llyngyren yn ddeuryw (hermaphrodite), hynny ydi, mae organau gwrywaidd a benywaidd gan bob anifail, a phob cyplysiad felly yn golygu fod y ddau anifail yn dodwy wyau a'r rheiny'n cael eu gosod mewn cocŵn bychan, melyn yn y pridd. Fel rheol mae'r wyau'n deor ar ôl rhyw dair wythnos.

## Dydd Iau, 21 Tachwedd

Diwrnod tawel, heulog er ei bod yn oer. Ar ôl cinio, mynd am dro ar hyd y creigiau ym Moelfre. Gwelais ddau gylfinir, deunaw pioden y môr, rhyw ddwsin o gwtiad y traeth a dwy wylan y penwaig yn prysur fwydo yno.

Roedd miloedd o'r gragen long ar y creigiau. Un fach gymharol ddisylw ydi hon, yn wyn gadag ochrau miniog iddi ac, fel rheol, yn tyfu yn glystyrau ar y creigiau. Fe gafodd yr enw cragen long

GWYLAN Y PENWAIG
*Larus argentatus*

am ei bod weithiau yn glynu wrth longau ac yn cael ei chario o gwmpas o un wlad i'r llall. Platiau sy'n creu'r gragen ac mae'n debyg i ben llosgfynydd ond bod platiau eto (pedair ohonyn nhw) yn cau pen y llosgfynydd fel tae. Pan fo'r llanw allan mae'r platiau ar gau a'r anifail bach sydd y tu mewn yn cael ei ddiogelu rhag sychdwr. Ond fel mae'r llanw'n dod i mewn ac yn golchi dros y creigiau, mae'r platiau bach yn agor ac mae braich bluog yr olwg yn dod allan ac yn cribo'r dŵr. Mae'n hardd i'w rhyfeddu ac yn debyg i bluen estrys ond ei bod yn llai o lawer. Y fraich hon sy'n gyfrifol am sianelu llif o ddŵr, sy'n cynnwys plancton (sef bwyd y gragen long), i mewn i grombil yr anifail. Deuryw ydi hi ac fe drosglwyddir yr had o un anifail i'r llall drwy ddefnyddio'r fraich unwaith eto. Gan amlaf, mae'r wyau'n cael eu ffrwythloni yn ystod misoedd y gaeaf ac yn aros y tu mewn i gragen yr oedolyn am tua phedwar mis cyn i'r larfa ddeor a chael ei ollwng allan i'r môr. Mae'r larfa bach yn byw ymysg y plancton am tua deufis ac yn ystod y cyfnod hwn mae'n bwrw'i groen ryw bum gwaith cyn setlo i lawr ar ddarn o graig i droi'n gragen long fechan.

Roedd yr haul yn gynnes wrth gerdded yn ôl ar y llwybr uwchben y creigiau, y môr yn llonydd, las a mynyddoedd Eryri yn drwch o eira gwyn, glân yn disgleirio yng ngolau'r haul.

124

## Dydd Llun, 25 Tachwedd

Mymryn o awyr las fore heddiw ac ychydig o haul rhwng cawodydd. Sylwi fod aeron ar yr ywen yn yr ardd. Mae hon yma ers blynyddoedd bellach. Rydw i'n cofio dod â hi o Lanwenllwyfo pan oeddwn i'n blentyn. Roedd Dad wedi torri brigyn bach o un o'r coed yw sy'n tyfu yno er mwyn i mi ei ddefnyddio i sgubo'r bedd ag iddo yntau gael llonydd i orffen golchi cerrig beddi'r teulu, siŵr gen i. Mi ddois â'r darn adref hefo mi a'i wthio i'r pridd ac fe dyfodd, a dal i dyfu'n raddol dros y blynyddoedd. Mae'r ywen yn goeden sydd i'w chanfod dros rannau helaeth o'r byd — o Iwerddon draw i'r Himalayas ac o Sgandinafia i Ogledd Affrica. Dydi hi ddim yn tyfu'n arbennig o dal ond fe all fod yn llydan iawn yn ei godre ac mae hi'n goeden hirhoedlog tu hwnt. Mae'r hedyn y tu mewn i gwpan pinc-goch nid annhebyg i aeron, a'r term arno ydi aril. Mae'r fwyalchen a brych y coed yn hoff o'i fwyta, a dyna sut mae'r had yn cael ei wasgaru. Mae bron pob darn o'r ywen, y rhisgl, y dail a'r hadau yn wenwynig heblaw am yr aril. Ceir tystiolaeth archeolegol fod yr ywen wedi cael ei defnyddio ers y cyfnod Paleolithig, tua 10,000 o flynyddoedd yn ôl, i wneud arfau pren. Fe'i defnyddid hefyd i wneud y bwa hir.

Mae llawer o'r coed i'w cael mewn hen fynwentydd. Yn ôl traddodiad, mae'r ywen yn symbol o'r da yn trechu'r drwg ac yn dynodi bywyd tragwyddol. Roedd hen arfer o gladdu brigau'r ywen hefo'r meirw. Yn sicr, mae llawer yn ei hystyried yn goeden bruddglwyfus, ac roedd cred ei bod yn beryglus cysgu dan ywen mewn mynwent am fod y goeden yn sugno holl anhwylderau'r meirw drwy ei gwreiddiau a'u harllwys allan drwy'r dail.

## Dydd Mercher, 27 Tachwedd

Diwrnod tawel, braf arall a'r haul yn rhoi gwawr goch i'r eira ar y mynyddoedd erbyn diwedd y pnawn. Sylwi fod blaenau'r eirlysiau allan o'r pridd ac ambell gennin Pedr yn dechrau dangos ei ben. Mae dail go iawn, yn ogystal â'r cotyledonau, wedi dechrau ymddangos ar y planhigion tresi aur ar sil ffenest y gegin.

## Dydd Iau, 28 Tachwedd

Pnawn braf, rhyw fymryn o awyr las a'r haul yn gynnes. Mynd am dro ar hyd Lôn Ceint a sylwi fod paled y peintiwr yn tyfu ar hen goeden bydredig ar y clawdd. Roedd nifer o'r cwpanau duon yn tyfu ar yr hen risgl hefyd.

### Dydd Sadwrn, 30 Tachwedd

Diwrnod cymharol braf o ystyried yr adeg o'r flwyddyn. Roedd ychydig o haul er ei bod yn oer. Mynd i Langefni i siopio pnawn. Roedd andros o lif yn Afon Cefni wrth groesi'r bont o'r farchnad i'r maes parcio. Roedd y dŵr yn llifo'n frown a brochus ac yn cipio mân ddeiliach hefo fo. Mae Afon Cefni yn llifo drwy'r dref a thrwy Gors Ddyga i'r môr ym Malltraeth.

Mae'r morglawdd yn bwysig iawn ym Malltraeth ac mae sôn:
'Os torrith Cob Malltraeth,
Fe foddith fy mam.'

O edrych ar fap sy'n darogan effeithiau'r cynhesu byd-eang dros yr hanner can mlynedd nesaf, mae'n fwy na phosib y bydd y rhan hon o Ynys Môn o dan y dŵr, am fod gwyddonwyr yn disgwyl i lefel y môr godi tua 35 sentimetr. Mae'n ddiddorol sylwi fod yr hen dai sy'n dyddio'n ôl i'r ddeuddegfed ganrif (ac mae lle i gredu fod yma anheddau cyn hynny) i gyd wedi eu codi yn ddigon uchel uwchlaw lefel y gors. Os oedd yna storm a llanw uchel roedd y tai yn ddiogel ddigon — tai fel Lledwigan, Tregarnedd a Hirdrefaig. Cartref Ednyfed Fychan, distain Llywelyn Fawr, oedd Tregarnedd. Mae un esboniad am yr enw Hirdrefaig yn awgrymu mai ei ystyr ydi hirdref yr aig. Hynny ydi, cyn belled â'r fan hon roedd y môr yn cyrraedd. Tybed, o ganlyniad i'r cynhesu byd-eang, ymhen hanner can mlynedd a fydda i'n mynd draw i Geint fin nos i weld y llanw'n dod i mewn?

PIODEN Y MÔR
*Haematopus ostralegus*

# RHAGFYR

GWICHIAID
*Littorina littorea*

*Dydd Sul, 1 Rhagfyr*
Pen-blwydd Elwyn.

Diwrnod digon diflas a minnau'n sâl hefo annwyd.    Fe ddaeth
haid o ddridws dros y tŷ ddiwedd y pnawn a glanio ar Gae Twm.
Roedden nhw wedi duo'r awyr.

*Dydd Llun, 2 Rhagfyr*
Bore oer ond heulog a phenderfynu mynd draw i Foelfre i drio cael
gwared o'r annwyd yng ngwynt y môr. Roedd tair tancer fawr yn
cysgodi yn y bae (arwydd sicr o storm) a'r gwynt yn fain o'r Gogledd-
orllewin. Roedd degau o wylanod y penwaig yn bwydo ar gregyn
gleision yn rhan ucha'r traeth gan eu cnocio yn erbyn y cerrig a'r
creigiau i'w hagor. Fe gododd y cwbl yn un haid swnllyd pan welson
nhw fi. I gyd ond un. Eistedd yn llonydd ar ben y graig roedd hi,
a buan y gwelais i pam: roedd y beth fach wedi brifo'i haden.

Roedd y gwymon rhychog yn amlwg iawn yn rhan ucha'r traeth.
Gwymon bach brown ydi o, a hwn ydi'r unig un all ddioddef bod
yn hir allan o'r môr. Mewn tywydd eithriadol o boeth fe all droi'n
ddu a chrimp, ond unwaith y bydd o dan y tonnau, bydd yn iawn
unwaith eto. Mae'r gwichiad garw i'w chanfod hefyd yn rhan ucha'r
traeth — y gragen lwyd-ddu sy'n arw i'w chyffrwdd.

### Dydd Mercher, 4 Rhagfyr

Codi 'mhinas ar ôl cinio cynnar am fod yr haul yn tywynnu, er ei bod yn oer. Mynd am dro heibio Comins, drwy'r llwybr, i gyfeiriad Bodeilio. Mae'r llwybr hwn yn arwain heibio Chwarel Tylwyth Teg ac yn gyrchfan i genedlaethau o blant y pentref. Cyfar o goed sydd yma mewn gwirionedd: coed cyll gan mwyaf, hefo ambell gelynnen a draenen yma ac acw. Roedd y llawr yn un shwrwd o ddail, a chnau'n glystyrau yma ac acw, a chan ei bod mor llaith roedd amryw o fwsoglau'n tyfu yno. Mi welais sawl ffwng hefyd, gan gynnwys y cap llaeth coch. Mae 'na lecyn agored hyfryd yng nghanol y coed a'r rhedyn ungoes yn rhwd i gyd yno, a'r eithin yn ei flodau!

### Dydd Gwener, 6 Rhagfyr

Deffro am bedwar o'r gloch y bore a gweld fod y lleuad yn ei chwarter olaf. Roedd yn noson glir a miloedd o sêr yn disgleirio.

Erbyn gwawrio, roedd wedi rhewi'n drwm a haen wen, dynn am bopeth. Awyr las ddigwmwl erbyn canol dydd a'r haul yn tywynnu ac yn dadmer yn gyflym. Mae'r coed collddail i gyd yn llwm erbyn hyn a'r gelynnen a'r ywen ydi'r unig rai sy'n las yn yr ardd.

### Dydd Llun, 9 Rhagfyr

Diwrnod tawel a dim ond awel ysgafn er ei bod yn ddigon oer. Fe agorodd dwy ddeilen ar y planhigion tresi aur a'r blaenddail bellach yn dechrau gwywo. Mae'r planhigion tua dwy fodfedd a hanner o daldra.

Mynd am dro toc ar ôl cinio i Gors Bodeilio a gweld cudyll coch yn sefyll ar ben coeden yn ymyl Glan Gors. Roedd yn drybeilig o wlyb yn y gors, ond beth arall oedd i'w ddisgwyl ar ôl iddi fwrw cymaint? Roedd y cyrs cyn daled â minnau ac yn llwydfrown wrth siglo'n araf yn yr awel. Gweiryn ydi'r planhigyn. Mae'n wir ei fod yn tyfu'n uwch na'r un gweiryn arall ar Ynysoedd Prydain ac nad ydi o'n edrych yn fach ac yn wyrdd fel y rhan fwyaf o'r gweiriau, ond gweiryn ydi o serch hynny. A gweiryn defnyddiol iawn hefyd. Mae'r coesyn yn cael ei ddefnyddio ar gyfer toi — gwneud to gwellt, ac ar gyfer gwneud matiau. Mae'r pen, ar ôl mynd i had, yn frown hefo sbeciau gwyn arno ac yn dlws iawn mewn trefniad blodau. Os torrir coesyn ifanc bydd sudd yn llifo allan ac yn caledu ar ôl sbel. Mae hwn yn felys ac mae'n debyg fod Indiaid Gogledd America yn arfer ei fwyta yn union fel y byddwn ni'n bwyta petha da!

## Dydd Mawrth, 10 Rhagfyr

Diwrnod tawel, braf ond oer. Ar ôl cinio cynnar dyma anelu trwyn y car am Gwm Idwal. Wrth ddringo i fyny drwy Nant Ffrancon roeddwn i'n medru gweld cymylau gwyn, isel yn llechu yn y Cwm er bod y copaon yn glir. Roedd barrug gwyn ar y llwybr wrth gerdded i fyny, a'r gwynt yn fain. Yn y fawnog wrth ochr y llwybr roedd pob pwll o ddŵr agored dan haenen o rew a'r migwyn wedi'i gloi mewn mantell wen. Roedd y migwyn coch yn amlwg iawn er gwaethaf y rhew a'r barrug ac yn edrych yn union fel cap coch hefo toslyn gwyn arno.

Yma hefyd mae cynefin chwys yr haul. Enw arall arno ydi'r gwlithlys, ac mae'n un o'r planhigion sy'n bwyta pryfed. Planhigyn bach disylw ydi o, yn aml yn llechu yng nghanol clwstwr o figwyn. Mae gwawr goch i'r coesyn, a dydi'r blodyn yn ddim amgen na deilen werdd olau hefo pennau pinnau bach a gwawr goch yn tyfu oddi arni. Mae'r pennau yn sgleinio fel diferion o wlith ac mae'r sudd hwn yn ludiog. Pwrpas y pen ydi denu pryfetach at y planhigyn ond nid i beillio'r blodyn ond i'w ddal yn y glud. Unwaith mae'r pryfyn yno, does dim gobaith ganddo i ddianc ac mae'r planhigyn yn defnyddio ensymau i'w ddadelfennu ar gyfer maeth. Un o'r rhesymau dros i'r gwlithlys wneud hyn ydi diffyg nitrogen yn y tir ac felly mae'n gwbl angenrheidiol cael cymaint o faeth ag sy'n bosib drwy ffyrdd eraill heblaw'r gwreiddiau. Blodyn arall sydd â'i gynefin yng Nghwm Idwal ac sy'n bwyta pryfed ydi tafod y gors. Blodyn bach glas golau, hynod o dlws ydi o, a ffordd y planhigyn hwn o ddal pryfed ydi drwy'r dail. Mae ochr y ddeilen wedi ei rowlio — yn debyg iawn i'r ffordd y buasai rhywun yn dechrau rowlio sigarét — ac wrth i'r pryf lanio ar y ddeilen fe'i denir at yr ochr sy'n felys a gludiog, a'r munud nesaf bydd ochr y ddeilen wedi cau amdano.

Roedd haenen o rew ar wyneb Llyn Idwal ac Afon Clyd yn rhuthro'n frochus i lawr y llethr.

> 'Pan rodiwyf ddaear Ystrad Fflur,
> O'm dolur, ymdawelaf.'

meddai T. Gwynn Jones, a rhywsut, mi fydda innau'n teimlo yr un fath am Gwm Idwal. Teimlo y medra i foddi fy ngofidiau yn y dŵr du gan wybod y cân nhw eu cario o fewn dim o dro i lawr i'r môr a diflannu, a 'ngadael innau'n teimlo'n ysgafnach.

Wrth droi fy nghefn ar y llyn roedd yr haul yn cynhesu Pen yr Ole Wen, a Nant Ffrancon yn edrych yn ogoneddus islaw.

## Dydd Mercher, 11 Rhagfyr
Diwrnod distaw heb lygedyn o haul drwy'r dydd a'r cymylau'n isel.

Mae un llus eira fechan wen wedi llwyddo i oroesi yn yr ardd. Dydi'r llus eira ddim yn llwyn sy'n gynhenid i Ynysoedd Prydain. Fe ddaeth rhywun â fo o Ogledd America tua dau gan mlynedd yn ôl fel llwyn i brydferthu'r ardd, er ei fod wedi dianc i'r gwyllt ac yn tyfu'n eithaf cyffredin gan ochr y ffordd mewn amryw o leoedd. Blodyn bach digon disylw gwyn neu binc sydd iddo ond mae'r ffrwyth yn datblygu'n aeron gwyn hardd tua'r un maint â Phils Methodistiaid ('Mint Imperials') ac yn edrych yn drawiadol iawn yn erbyn y dail llwydwyrdd.

## Dydd Iau, 12 Rhagfyr
Bore tawel, di-ffrwt a dim haul eto heddiw, ond gan ei bod reit glaear dyma fynd draw i Foelfre am dipyn o wynt y môr. Roedd bron yn benllanw a'r llanw uchel yn gorchuddio pob gwymon. Yr un hen griw oedd yno'n bwydo — pioden y môr, gwylan y penwaig a chwtiad y traeth — a doedd o ddim syndod i mi weld corff un wylan y penwaig ymysg y broc môr a olchwyd i'r lan. Rydw i'n siŵr mai hon oedd yr un fach a welais i'r wythnos diwethaf wedi brifo'i haden. Byd creulon ydi byd natur a dim ond y rhai mwyaf 'tebol sy'n goroesi, fel y dwedodd Darwin.

Roedd llawer o wymon wedi eu bwrw ar y traeth ar ôl y storm — yn eu plith, mwsog Iwerddon sy'n goch ac yn fwytadwy. Cafodd y gwymon brown hir, morwiail crych neu wregys môr, ei ryddhau oddi wrth ei angor hefyd.

Mewn hafnau llaith ar y creigiau uchaf sy'n codi wrth ochr y traeth mae anemonïau'r môr i'w cael. Eu dull nhw o gadw'n fyw wrth ddisgwyl y llanw ydi gollwng digon o fwcws o gwmpas eu cyrff i'w cadw'n wlyb. Wedyn maen nhw'n agor a'r tentaclau'n symud yn hudolus yn y dŵr i ddenu plancton i mewn i grombil yr anifail, gan mai anifail ydi anemoni'r môr er gwaethaf ei enw. Mae'r anemoni gleiniog neu'r fuwch goch i'w gael yma, a phan fo'r llanw allan mae'n sypyn coch, gwlyb nid annhebyg i lwmp o jeli.

## Dydd Gwener, 13 Rhagfyr

Mynd i brynu ychydig o uchelwydd i addurno'r tŷ at yr Ŵyl. Parasit ydi'r uchelwydd ac yn tyfu ar goed eraill fel y goeden afal, poplys, onnen, y fasarnen leiaf, pisgwydden a'r gollen. Mae'n ei angori ei hun wrth y goeden ac yna'n gwthio tentaclau i mewn drwy'r rhisgl i dynnu dŵr a maeth ohoni. Ar ôl iddo wneud hyn mae'n tyfu dail gwyrdd ei hun ac yn gwneud ei fwyd ei hun drwy ffotosynthesis. Felly, rhyw hanner parasit yn hytrach nag un go iawn ydi'r uchelwydd.

Roedd yn blanhigyn cysegredig i'r Derwyddon, yn enwedig uchelwydd a dyfai ar y dderwen. Doedd wiw ei gasglu hefo unrhyw beth a wnaed o haearn am y credent fod hyn yn dinistrio grym hud y planhigyn. Yn ôl traddodiad, yr Archdderwydd oedd i fod i gasglu'r uchelwydd hefo cryman aur. Ar ôl ei ddefnyddio yn y seremonïau, roedd yn ei rannu ymysg y bobl i'w grogi yn eu tai i ymlid ysbrydion drwg i ffwrdd. Cred arall oedd fod yr uchelwydd yn gwella ffrwythlondeb cyn belled â'i fod heb gyffwrdd y llawr. Mae'n debyg mai dyma darddiad yr arfer o gusanu dan yr uchelwydd yr adeg hon o'r flwyddyn.

## Dydd Sadwrn, 14 Rhagfyr

Diwrnod tywyll, du ac yn tresio bwrw glaw drwy'r dydd, ond doedd byw na marw gan y plant nad aem ni i brynu coeden Nadolig. Felly i ffwrdd â ni am Bentreberw i chwilio am un. Spriwsen Norwy ydi'r goeden Nadolig draddodiadol. Un o goed conwydd Canol a Dwyrain Ewrop ydi hi ond ei bod wedi'i phlannu yng Ngwledydd Prydain. Er, mae tystiolaeth ffosil yn dangos iddi fod yn gynhenid cyn Oes yr Iâ a bod dyfodiad yr iâ wedi ei chadw yng ngwledydd cynhesach De Ewrop. Ar ôl i'r iâ gilio, welwyd mo'r goeden yn Ynysoedd Prydain nes i rywun ddod â hi'n ôl yma yn ystod yr unfed ganrif ar bymtheg. Mae'n goeden dlws hefyd a sawl un, mae'n siŵr gen i, wedi prynu un gyda gwraidd arni adeg Nadolig ac yna ei phlannu yn yr ardd gan ryfeddu ymhen blynyddoedd o'i gweld hi wedi tyfu mor uchel. Wir, fe all dyfu cymaint â 200 troedfedd!

Mae sawl chwedl yn gysylltiedig â'r goeden Nadolig ond yr un orau gen i ydi un o'r Almaen. Yn ôl y chwedl, un noson oer yng nghanol gaeaf fe ddaeth cnoc ar ddrws rhyw ffermdy anghysbell a phan agorwyd y drws dyna lle roedd hogyn bach yn rhynnu'n oer a bron â marw o newyn. Dyma ddod â fo i'r tŷ, ei sychu a'i gynhesu a rhoi pryd o fwyd poeth iddo a gwely cynnes i gysgu ynddo. Fore drannoeth fe gafodd pawb yn y tŷ eu deffro gan angylion yn canu a'r bachgen bach yn y canol. Crist oedd yr hogyn bach, wrth gwrs, ond cyn iddo ffarwelio â'r teulu fe dorrodd gangen o'r spriwsen oedd gerllaw a'i phlannu yn y ddaear gan ddweud ei bod yn symbol o garedigrwydd y teulu. Ers y diwrnod hwnnw mae'r goeden Nadolig yn arwydd o ewyllys da.

## Dydd Llun, 16 Rhagfyr

Mae'n hwyr glas i mi addurno'r tŷ ar gyfer y Nadolig. Mynd allan i chwilio am gelyn coch yng nghae'r Wern ac eiddew oddi ar glawdd yr ardd. Mae'n amhosib casglu celyn heb gael sgriffiadau ar y dwylo am fod y dail mor bigog. Dyfais gan y gelynnen ydi hon rhag i anifeiliaid fwyta'r dail. Maen nhw hefyd yn llyfn ac yn sgleinio am fod glasgroen dros y ddeilen. Rhyw fath o gôt law ydi'r glasgroen sy'n sicrhau nad oes gormod o ddŵr yn cael ei golli o'r ddeilen. Dyma sut mae'r planhigyn yn llwyddo i gadw ei ddail drwy'r gaeaf. Ond yr aeron coch sy'n tynnu sylw wrth gwrs, ac o agor un mae pedwar hedyn bach i'w gweld yn glir. Adar fel y fronfraith, y coch dan adain a'r socan eira sy'n bwyta'r aeron ac yn gollwng yr hadau mewn lwmpyn bach o dail ymhell i ffwrdd, ac felly'n sicrhau bod yr had yn cael ei wasgaru. Yn ôl un gred, os cymerwch chi naw deilen o'r gelynnen, eu rhoi mewn ffunen boced hefo naw cwlwm arni a'i gosod dan eich gobennydd ar nos Nadolig, fe fyddwch chi'n breuddwydio am y person y byddwch chi'n ei briodi. Wn i ddim a oes gwirionedd i'r goel!

## Dydd Mercher, 18ed Rhagfyr

Dengid am dro i Goedwig Clocaenog yn Sir Ddinbych heddiw, parcio'r car ym Mod Petrual a cherdded drwy'r coed. Roedd yn fwyn er ei bod yn gymylog a dim llygedyn o haul yn y golwg. Wrth ymyl y ffordd fawr sy'n arwain i Felin-y-wig roedd llyn tywyll ac yn un pen iddo roedd cynffon y gath yn tyfu. Planhigyn mawr ydi o sy'n tyfu i ryw 6-7 troedfedd ac yn weddol gyffredin wrth lannau afonydd a llynnoedd. Yr hyn sy'n gwneud y planhigyn yn arbennig ydi'r pen mawr, melfedaidd sy'n edrych yn union fel rhyw sigâr enfawr wedi ei gosod ar ben y coesyn a rhyw gynffon fechan yn dod allan o'r pen fel mwg o'r sigâr.

Roedd yn ddistaw ac yn dywyll wrth gerdded drwy'r goedwig heb ddim i'w glywed ond mân drydar ambell aderyn a sisial y nant yn y pellter. Oherwydd bod y conwydd yn cael eu plannu mor agos at ei gilydd ac yn tyfu mor uchel does fawr ddim goleuni'n cyrraedd llawr y goedwig ac felly does dim llawer o dyfiant yno chwaith. Roedd y nodwyddau sy'n disgyn o'r coed yn un carped trwchus ar lawr.

Fe wnaed ymdrech arbennig yng Nghoedwig Clocaenog i ddenu'r wiwer goch yn ôl drwy roi bwyd allan ar ei chyfer hi, a hynny mewn dull sy'n sicrhau na all y wiwer lwyd ei ddwyn. Yn ôl pob golwg mae'r ymdrech yn llwyddiannus. Fel arfer, mae modd gweld olion gwledd y wiwer goch gan ei bod yn hoff o fwyta moch coed a gadael y canol diwerth ar ôl, ac mae'n bwyta tua 40,000 o foch coed mewn blwyddyn! Weithiau gwelir ôl ei dannedd ar fadarch yn y goedwig a hefyd gwelir rhisgl y coed conwydd wedi ei dynnu yn stribedi hir.

*Dydd Iau, 19 Rhagfyr*
Mynd draw i Borthaethwy bore 'ma a pharcio wrth Borth y Wrach cyn mynd i lawr at lan y dŵr i browla. Roedd yn oer a'r môr yn cael ei gorddi gan ymchwydd y gwynt a'r tonnau ac yn troi'n frown budr lle torrai ar y creigiau. Roedd sypiau hir o'r gwymon codog bras yn hongian dros ochrau'r graig fel llwyth o fwclis hir, tra oedd sypiau o'r gwymon troellog yn gorwedd yn ddiymadferth ar y creigiau yn disgwyl i'r llanw ddod i mewn. Gwymon brown ydi hwn heb fod yn annhebyg i'r gwymon danheddog ond bod tro naturiol yn y ffrond a dydi ochr y ffrond ddim yn edrych fel llif.

Ar ffrond y gwymon codog mân roedd sawl cragen wedi glynu. Un ohonyn nhw oedd y gwichiad. Lliw cochddu hardd oedd ar rai ohonyn nhw ond roedd rhai eraill yn felyn tywyll tlws. Y gwichiad melyn ydi un enw ar y math hwn o wichiaid.

*Dydd Gwener, 20 Rhagfyr*
Pen-blwydd Lois. Mae'n anodd credu ei bod yn ddeg oed, ond yn sicr hi ydi'r anrheg Dolig gorau a ges i erioed.

Bore du, digalon ond fe gododd yn haul erbyn tuag un ar ddeg er ei bod yn oer a'r gwynt yn fain o'r Dwyrain. Sylwais ar y cen cerrig gwyn oedd yn tyfu uwchben drws y capel. Cyfuniad o alga a ffwng ydi cen, rhyw fath o fyw tali am wn i. Weithiau, maen nhw'n cael eu galw yn farciau amser am eu bod i'w gweld ar hen adeiladau, cofebau a cherrig beddau. Yn aml iawn maen nhw bron cyn hyned â'r cerrig beddau sy'n gartref iddyn nhw. Oherwydd eu ffurf arbennig, sef y cyfuniad o ffwng ac alga, fe allan nhw wrthsefyll cyfnodau hir heb ddŵr a dyna sy'n eu galluogi i dyfu ar greigiau agored lle nad oes fawr ddim arall yn gallu byw. Mae llygredd, fodd bynnag, yn cael effaith andwyol arnyn nhw ac mae gweld cen yn tyfu yn arwydd go dda fod yr awyr yn weddol bur yn y fan honno.

*Dydd Sadwrn, 21 Rhagfyr*
Troad y Rhod.

Diwrnod eithriadol o oer, a'r mynyddoedd yn hardd eithriadol yn haul y pnawn. Roedd gwawr goch, ysgafn dros wynder y mynyddoedd a'r haul yn machlud yn belen oren-goch yr ochr yma i Goed Gylched. Heddiw ydi'r dydd byrraf ac o heddiw allan fe allwn ni edrych ymlaen at weld y dydd yn ymestyn.

*Dydd Sul, 22 Rhagfyr*
Diwrnod soboredig o oer eto heddiw. Y Ddrama Dolig pnawn 'ma yn y neuadd. 'Pwy fydd y Brawd Mul?' oedd y ddrama eleni, a rhwng bod yna gamel dwyieithog, colomennod a gwenoliaid roedd yn sicr yn ddrama wahanol! Panad a mins-peis i bawb wedyn ac yn ôl i Gapel Siloam erbyn hanner awr wedi pump i Wasanaeth Carolau Merched y Wawr. Wnaeth neb loetran yn hir iawn ar ôl y gwasanaeth — roedd yn rhy oer — dim ond dymuno 'Dolig Llawen' y naill i'r llall ac am adref ffordd gyntaf.

*Dydd Llun, 23 Rhagfyr*
Wedi rhewi'n gorn heddiw eto. Mynd â'r anrhegion Nadolig i Rosllannerchrugog a mynd i fynydd Rhos drwy Stryt y Plas, heibio fferm yr Onnen Fawr a Phlas Drain ac aros wrth ymyl cronfa ddŵr Pant Glas. Dydw i ddim yn cofio gweld cymaint o rew ers gaeaf caled 1963 pan oedd Chwarel Pant wedi rhewi'n gorn a ninnau'n cael sglefrio yno a methu mynd i'r ysgol am fod gormod o rew ar allt Ty'n Lôn i'r bws fynd i fyny. Cerddais i ben y bryn ac fel roeddwn i'n cyrraedd dros y grib cododd cudyll bach a gwibio heibio imi, a fedrwn i wneud dim ond syllu arno mewn rhyfeddod. Mae modd gweld y cudyll bach ar rostir agored yn ystod y gaeaf ond

yn amlach na pheidio yn nes i'r glannau. Mae'r iâr yn llawer mwy brown na'r ceiliog sy'n rhyw liw llwydlas smart.

Roedd yn ddifrifol o lwm ar y mynydd a dim ond rhwd y rhedyn a'r grug i'w weld. Ar ddiwrnod fel heddiw, roedd yn hawdd iawn gwerthfawrogi'r dywediad 'Newyn dan y grug'.

Ar y llaw arall roedd golygfa agored, eang islaw. Pentre'r Rhos yn swatio ar ochr y bryn, Bonc yr Hafod yn dechrau glasu, a gwastadedd Lloegr yn edrych yn gyfoethog iawn.

*Dydd Mawrth, 24 Rhagfyr*
Noswyl Nadolig.

Diwrnod difrifol o oer a phicio i Langefni bore 'ma i gael ambell anrheg munud olaf. Roedd pawb wedi pacio amdanyn yn dynn ac yn rhuthro hynny a fedren nhw i gael popeth yn barod mewn pryd, a mynd o'r oerfel. Prynu ychydig o sanau cnau i'r adar mân. Wel, mae'n Ddolig arnyn nhwtha hefyd. Roedd wedi rhewi'n gorn ymhobman, felly dyma fynd â llond tecell o ddŵr berwedig allan i'r bath adar ac i'r cafn carreg sydd wrth y wal. Rydw i'n sobor o falch fy mod i wedi mynnu cael Dad ac Elwyn i osod y bath adar, er bod peryg dirfawr ar un adeg y byddai'n cystadlu hefo Tŵr Pisa! Beth bynnag am hynny, mae o wedi bod yn fendith i'r adar bach. Roedden nhw'n gallu golchi eu plu ynddo yn ystod y cyfnod sych ym mis Medi ac yn gallu cael diferyn o ddŵr pan fo'n rhewi. Bron wedi cyrraedd yn ôl i'r tŷ roeddwn i pan ddaeth y fwyalchen â'r marc gwyn ar ei haden i gael diferyn o ddŵr. Yn fuan iawn wedyn fe ddaeth y teulu o durturiaid torchog yno hefyd.

Noson glir heno hefo miloedd o sêr yn dawnsio yn awyr y nos, a'r lleuad yn llawn. Rhywsut roedd yn hawdd credu fod baban bach wedi ei eni ym Methlem ddwy fil o flynyddoedd yn ôl.

'Paham, y creaduriaid mud,
Y rhoesoch breseb gwair yn grud?'

*Dydd Mercher, 25 Rhagfyr*
Dydd Nadolig.

Diwrnod clir a'r haul yn gynnes. Mynd i'r gwasanaeth yn y capel heddiw, a'r plant i gyd wrth eu bodd hefo'r anrhegion gan Santa Clos. Sylwi bod y fwyalchen â phlu gwyn ar ei haden wedi dod i fwyta o ben y wal bore 'ma.

*Dydd Gwener, 27 Rhagfyr*

Bore heulog, braf heb fawr o awel ac yn rhyfeddol o dyner ar ôl y glaw dros nos. Roedd pelydrau'r haul yn saethu i lawr i'r ardd ac mi synnais weld chwiws yn dawnsio ynddyn nhw.

Mynd i gerdded ar ôl cinio i gael gwared â rhywfaint o fraster y Nadolig. Fe aethom ni i gyd draw cyn belled â'r Rhaeadr Fawr yn Abergwyngregyn. Roedd yn oer ond yn iach i gerdded dan y coed ac yn bleser gweld y mwsoglau ir, llaith ar ochr y graig. Ymhellach draw ar y llwybr roedd nifer o goed gwern yn tyfu. Ond yr hyn oedd yn denu clust a llygad oedd y rhaeadr ei hun yn ymollwng yn wallgo dros ochr y dibyn. Roedd Afon Goch yn rhuthro'n drochion gwyn i lawr canol y rhaeadr, ond o bobtu roedd wedi rhewi'n gorn ac yn glynu fel gwydr clir ar ochr serth y graig. Wrth droi'n cefnau ar y rhaeadr a chychwyn yn ôl i lawr y llethr roedd cilcyn bach o Ynys Môn i'w gweld yn gorwedd yn haul y pnawn.

*Dydd Llun, 30 Rhagfyr*

Diwrnod oer arall a'r gwynt yn fain o'r Dwyrain, ac er bod rhai llygadau heulog roedd ychydig o blu eira'n disgyn. Roedd llawer iawn mwy o eira wedi disgyn ar y mynyddoedd. Darllen yn y papur heddiw fod pobl yn sglefrio ar iâ yng nghysgod y Tŵr Eiffel ym Mharis a chlywed ar y newyddion fod y morlynnoedd yn Fenis wedi rhewi. Cychwyn, ar ôl cinio, ar hyd Lôn Ceint ac i fyny Allt Penmynydd a throi wedyn i lawr y llwybr sy'n arwain heibio Plas Penmynydd, ac i lawr led cae at yr hen drac relwe, croesi Afon Ceint ac yn ôl i fyny'r allt at fynwent Llanffinan. Roedd y ddaear yn llawer glasach yn y fynwent nag yn y caeau o'i chwmpas. Fe aeth llawer gormod i'r pridd yn ystod 1996.

*Dydd Mawrth, 31 Rhagfyr*

Diwrnod ola'r flwyddyn, ac er bod rhywfaint o haul roedd y gwynt yn chwipio'n ddidrugaredd o'r Dwyrain. Bu'n bwrw ychydig o eira yn ystod y nos ond fawr ddim helynt, er bod sawl rhan o'r wlad dan drwch ohono a'r tymheredd yn is nag y bu ers blynyddoedd. Mae rhai o ddinasoedd Ewrop â'u tymheredd yn eithriadol o isel, ac yn yr Almaen roedd tua 120 o filltiroedd o Afon Elbe wedi rhewi.

Ychydig iawn o adar a welais i o gwmpas heddiw. Ond fe ddaeth y robin at y ffenest i ofyn am fwyd a'r titw mawr i hongian yn herfeiddiol wrth yr hosan gnau.

Fflamau glas yn y tân heno (arwydd o eira yn ôl pob sôn) a phlu eira mân yn disgyn yn ysgafn. 'Eira mân, eira mawr,' a minnau'n paratoi i fynd allan i groesawu'r flwyddyn newydd yng nghwmni cyfeillion ar aelwyd Rhianfa. Mae'n siŵr mai'r un rhai â'r llynedd fydd yno a'r un fydd y sôn a'r siarad. Ond i mi, does dim darn o ddaear sydd lawn mor ddifyr â'r darn yma lle rydw i'n ddigon ffodus i fyw — yn bobl, planhigion a chreaduriaid. Mi fedra innau ategu geiriau Williams Parry:

'Digymar yw fy mro drwy'r cread crwn.'

ROBIN GOCH
*Erithacus rubecula*

# GEIRFA

## Cymraeg — Lladin — Saesneg

Aderyn drycin Manaw: *Puffinus puffinus; Manx shearwater*

Aderyn drycin y graig: *Fulmarus glacialis; Fulmar*

Aderyn y to: *Passer domesticus; House sparrow*

Alan mawr: *Petasites hybridus; Butterbur*

Alarch: *Cygnus olor; Mute swan*

Amranwen arfor: *Tripleurospermum maritimum; Sea mayweed*

Arth frown: *Ursus; Brown bear*

Banadl: *Cytisus scoparius; Broom*

Barcud: *Milvus milvus; Red kite*

Barf yr hen ŵr: *Clematis vitalba; Traveller's-joy*

Bedwen arian: *Betula pendula; Silver birch*

Berwr blewog: *Cardamine hirsuta; Hairy bitter cress*

Blodyn neidr: *Silene dioica; Red campion*

Blodyn poeri: *Ecballium elaterium; Squirting cucumber*

Blodyn y gwynt: *Anemone nemorosa; Wood anemone*

Boneddiges y wig: *Anthocharis cardamines; Orange tip*

Bonet nain: *Aquilegia vulgaris; Columbine*

Botwm crys: *Stellaria holostea; Greater stitchwort*

Brân goesgoch: *Pyrrhocorax pyrrhocorax; Chough*

Brenhines y weirglodd: *Filipendula ulmaria; Meadowsweet*

Bresych y môr: *Crambe maritima; Sea kale*

Briallen: *Primula vulgaris; Primrose*

Briallu Mair: *Primula veris; Cowslip*

Brigwellt main: *Deschampsia flexuosa; Wavy hair-grass*

Brith y rhyfon: *Abraxas grossulariata; Magpie moth*

Briweg y cerrig: *Sedum anglicum; English stonecrop*

Bronfraith: *Turdus philomelos; Song thrush*

Brwynen babwyr: *Juncus effusus; Soft-rush*

Brwynen gymalog: *Juncus articulatus; Jointed rush*

Brych y coed: *Turdus viscivorus; Mistle thrush*

Buwch goch: *Actinia equina; Beadlet anemone*

Buwch goch gota: *Coccinella 7-punctata; Ladybird*

Bwncath: *Buteo buteo; Buzzard*

Bwtsias y gog: *Hyacinthoides non-scripta; Bluebell*

Byddon chwerw: *Eupatorium cannabinum; Hemp agrimony*

Bysedd y cŵn: *Digitalis purpurea; Foxglove*

Cap brau drewllyd: *Russula foetens; Fetid russula*

Cap llaeth coch: *Lactarius rufus; Rufous milk-cap*

Careiau'r coed: *Armillaria mellea; Honey fungus*

Carlwm: *Mustela erminea; Stoat*

Carn yr ebol: *Tussilago farfara; Colt's foot*

Carpiog y gors: *Lychnis flos-cuculi; Ragged Robin*

Cartheig: *Lapsana communis; Nipplewort*

Castanwydden y meirch: *Aesculus hippocastanum; Horse chestnut*

Cawnen ddu: *Nardus stricta; Mat-grass*

Ceineirian: *Listera ovata; Common twayblade*

Ceirios y Gŵr Drwg: *Atropa belladona; Deadly nightshade*

Celynnen: *Ilex aquifolium; Holly*

Celyn y môr: *Ergyngium maritimum; Sea holly*

Cen: *Cladonia; Lichen*

Cennin Pedr: *Narcissus pseudonarcissus; Daffodil*

Ciconia gwyn: *Ciconia ciconia; White stork*

Cloch y bugail: *Campanula rotundifolia; Harebell*

Clustog Fair: *Armeria maritima; Thrift*

Clwbfrwynen arfor: *Bolboschoenus maritimus; Sea club-rush*

Clychau'r gog: *Hyacinthoides non-scripta; Bluebell*

Clychau'r grug: *Erica cinerea; Bell heather*

Clychlys: *Campanula; Bellflower*

Cocosen: *Cardium edule; Cockle*

Coch dan adain: *Turdus iliacus; Redwing*

Codwarth caled: *Solanum dulcamara; Woody nightshade*

Codwarth du: *Solanum nigra; Black nightshade*

Coes wydn felfedaidd: *Collybia velutipes; Velvet-footed collybia*

Coes y ceiliog: *Dactylis glomerata; Cock's foot*

Cog: *Cuculus canorus; Cuckoo*

Colomen: *Columba livia; Feral pigeon*

Collen: *Corylus avellana; Hazel*

Corsen: *Phragmites australis; Common reed*

Cornchwiglen: *Vanellus vanellus; Lapwing*

Craf y geifr: *Allium ursinum; Wood garlic*

Cragen foch felen: *Nucella lapillus; Common dog whelk*

Cragen las: *Mytilus edulis; Edible mussel*

Cragen long: *Semibalanus balanoides; Acorn barnacle*

Cranc meudwy: *Paguristes oculatus; Hermit crab*

Cranc y traeth: *Carcinus maenas; Shore crab*

Creyr glas: *Ardea cinerea; Heron*

Crib y pannwr: *Dipsacus fullonum; Common teasel*

Crinllys: *Viola odorata; Sweet violet*

Crwban y môr: *Turtle*

Cudyll bach: *Falco columbarius; Merlin*

Cudyll coch: *Falco tinnunculus; Kestrel*

Cwlwm y cythraul: *Convolvulus arvensis; Field bindweed*

Cwningen: *Oryctolagus cuniculus; Rabbit*

Cwpanau duon: *Bulgaria iniquinans; Black bulgar*

Cwrel: *Caryophyllia; Coral*

Cwtiad y traeth: *Arenaria interpres; Turnstone*

Cwtiar: *Fulica atra; Coot*

Cynffon y gath: *Typha latifolia; Bulrush*

Cyngaf bychan: *Arctium minus; Lesser burcock*

Chwerwlys yr eithin: *Teucrium scorodonia; Wood sage*

Chwilen deigr werdd: *Cicindela campestris; Green tiger beetle*

Chwys yr haul: *Drosera rotundifolia; Sundew*

Chwyth yr ŵydd: *Anthoxanthum odoratum; Sweet vernal-grass*

Dail cwlwm yr asgwrn: *Mercurialis perennis; Dog's mercury*

Dail tafol: *Rumex obtusifolius; Broad-leaved dock*

Danadl poethion: *Urtica dioica; Common nettle*

Dant y llew: *Taraxacum sect. Ruderalia; Common dandelion*

Deilen gron: *Umbilicus rupestris; Navelwort*

Derwen ddigoes: *Quercus petraea; Sessile oak*

Derwen goesog: *Quercus robur Pedunculate; Oak*

Dolffin: *Delphinus delphis; Dolphin*

Draenen ddu: *Prunus spinosa; Blackthorn*

Draenen wen: *Crataegus monogyna; Hawthorn*

Draenog: *Erinaceus europaeus; Hedgehog*

Dringwr y mur: *Tichodroma muraria; Wall creeper*

Drudwen: *Sturnus vulgaris; Starling*

Dryw: *Troglodytes troglodytes; Wren*

Duegredynen ddu: *Asplenium adinatum-nigrum; Black spleenwort*

Dulys: *Smyrnium olusatrum; Alexanders*

Dyfrgi: *Lutra lutra; Otter*

Effros y dwyrain: *Euphrasia picta;* *Eastern eyebright*

Eiddew: *Hedera helix;* *Ivy*

Eirlys: *Galanthus nivalis; Snowdrop*

Eithin cyffredin: *Ulex europaeus; Gorse*

Eithin mân: *Ulex minor; Dwarf gorse*

Eithin y mynydd: *Ulex gallii; Western gorse*

Eos: *Luscinia megarhynchos; Nightingale*

Ffa'r gors: *Menyanthes trifoliata; Bogbean*

Ffawydden: *Fagus sylvaticus; Beech*

Ffenigl: *Foeniculum vulgare; Fennel*

Ffesant: *Phasianus colchinus; Pheasant*

Ffwng y gawod: *Rusts*

Glesyn cyffredin: *Polyommatus icarus; Common blue*

Gludlys arfor: *Silene maritima; Sea campion*

Gold y gors: *Caltha palustris; Marsh marigold*

Gorthyfail: *Anthriscus sylvestris; Cow parsley*

Grug: *Calluna vulgaris; Heather*

Gwallt y forwyn: *Asplenium trichomanes; Maidenhair spleenwort*

Gweddw galarus: *Geranium phaeum; Dusky crane's-bill*

Gwenith y gwylanod: *Sedum album; White stonecrop*

Gwennol: *Hirundo rustica; Swallow*

Gwennol ddu: *Apus apus; Swift*

Gwennol y bondo: *Delichon urbica; House martin*

Gwenyn meirch: *Vespa vulgaris; Wasp*

Gwernen: *Alnus glutinosa; Alder*

Gwibredynen: *Blechnum spicant; Hard fern*

Gwichiad: *Littorina littorea; Common periwinkle*

Gwichiad garw: *Littorina saxatalis (rudis); Rough periwinkle*

Gwichiad melyn: *Littorina littoralis (obtusata); Flat periwinkle*

Gwinwydden ddu: *Tamus communis; Black bryony*

Gwiwer goch: *Sciurus vulgaris; Red squirrel*

Gwiwer lwyd: *Sciurus carolinensis; Grey squirrel*

Gwlithen: *Agriolimax agrestis; Slug*

Gwyddfid: *Lonicera periclymenum; Honeysuckle*

Gwyfyn patrymog y gerddi: *Xanthorhoe montana; Garden carpet*

Gwylan benddu: *Larus ribidibundus; Black-headed gull*

Gwylan gefnddu fwyaf: *Larus marinus; Great black-backed gull*

Gwylan gefnddu leiaf: *Larus fuscus; Lesser black-backed gull*

Gwylan y penwaig: *Larus argentatus; Herring gull*

Gwylog: *Uria aalge; Guillemot*

Gwymon coch edefynnog: *Polysiphonia lanosa*

Gwymon codog bras: *Ascophyllum nodosum; Knotted wrack*

Gwymon codog mân: *Fucus vesiculosus; Bladder wrack*

Gwymon danheddog: *Fucus serratus; Serrated wrack*

Gwymon rhychog: *Pelvetia canaliculata; Channel wrack*

Gwymon troellog: *Fucus spiralis; Flat wrack*

Gylfinir: *Numenius arquata; Curlew*

Hebog tramor: *Falco peregrinus; Peregrine*

Heboglys brith: *Hieracium maculatum; Spotted hawkweed*

Helygen: *Salix; Willow*

Helygen Fair: *Myrica gale; Bog myrtle*

Helygen wiail: *Salix viminalis; Osier*

Helyglys hardd: *Chamerion angustifolium; Rosebay willowherb*

Hugan: *Sula bassana; Gannet*

Hwyaden wyllt: *Anas platyrhynchos; Mallard*

Iâr fach y fagwyr: *Lasiommata megera; Wall brown*

Iâr wen fawr: *Pieris brassicae; Large white*

Iris felen: *Iris pseudacorus; Yellow flag*

Is-adain felen fawr: *Noctua pronuba; Large yellow underwing*

Iwrch: *Capreolus capreolus; Roe deer*

Ji-binc: *Fringilla coelebs; Chaffinch*

Llau'r offeiriad: *Galium aparine;* *Cleavers*

Llawredynen y derw: *Gymnocarpium dryopteris; Oak fern*

Llawredynen rymus: *Polypodium interjectum; Intermediate polypody*

Llawredynen y fagwyr: *Polypodium vulgare; Polypody*

Llinos werdd: *Carduelis chloris; Greenfinch*

Llurs: *Alca torda; Razorbill*

Llus eira: *Symphoricarpos albus; Snowberry*

Llwynhidydd: *Plantago lanceolata; Ribwort plantain*

Llwynhidydd mawr: *Plantago major; Greater plantain*

Llwynog: *Vulpes vulpes; Fox*

Llyffant: *Rana temporaria; Frog*

Llyg: *Sorex araneus; Common shrew*

Llygad doli: *Veronica chamaedrys; Germander speedwell*

Llygad Ebrill: *Ranunculus ficaria; Lesser celandine*

Llygad llo mawr: *Leucanthemum vulgare; Oxeye daisy*

Llygad myharen: *Patella vulgata; Limpet*

Llygad y dydd: *Bellis perennis; Daisy*

Llygoden y coed: *Apodemus sylvaticus; Wood mouse*

Llyngyren ddaear: *Lumbricus terrestris; Common earthworm*

Llys y cryman: *Anagallis arvensis; Scarlet pimpernel*

Llys yr hebog: *Hieracium vulgatum; Common hawkweed*

Llys y llwynog: *Geranium robertianum; Herb robert*

Llysywen: *Anguilla anguilla. Common eel*

Marchrawn mawr: *Equisetum telmateia; Great horsetail*

Malwoden: *Helix aspersa; Common snail*

Malwoden fôr: *Trophon muricatus; Sea snail*

Masarnen: *Acer pseudoplatanus; Sycamore*

Meillionen felen fach: *Trifolium dubium; Lesser Yellow trefoil*

Meillionen goch: *Trifolium pratense; Red clover*

Meillionen wen: *Trifolium repens; White clover*

Mefus gwyllt: *Fragaria vesca; Wild strawberry*

Mêl-wenynen: *Apis mellifera; Honey bee*

Melynllys: *Chelidonium majus; Greater celandine*

Migwyn: *Sphagnum; Moss*

Milddail: *Achillea millefolium; Yarrow*

Moresg: *Ammophila arenaria; Marram grass*

Morgrug: *Ants*

Morlo llwyd: *Halichoerus grypus; Grey seal*

Morwennol bigddu: *Sterna sandvicensis; Sandwich tern*

Morwennol gyffredin: *Sterna hirundo; Common tern*

Morwennol y gogledd: *Sterna paradisaea; Arctic tern*

Morwennol wridog: *Sterna dougallii; Roseate tern*

Morwiail byseddog: *Laminaria digitata; Oar weed*

Morwiail crych: *Laminaria saccharina; Sea belt*

Mulfran: *Phalacrocorax carbo; Cormorant*

Mwsog: *Mnium hornum; Moss*

Mwsog: *Polytrichum commune; Moss*

Mwsog Iwerddon: *Chondrus crispus; Carragheen*

Mwyalchen: *Turdus merula; Blackbird*

Neidr ddefaid: *Anguis fragilis; Slow worm*

Nionyn melyn: *Allium flavum; Yellow onion*

Pâl: *Fratercula arctica; Puffin*

Paled y peintiwr: *Ganoderma applanatum; Artist's fungus*

Peisgwellt y defaid: *Festuca ovina; Sheep's fescue*

Pengaled: *Centaurea nigra; Common knapweed*

Persli: *Petroselinum crispum; Garden parsley*

Persimon: *Diosporos lotos; Persimmon*

Perwig: *Coprinus comatus; Shaggy ink cap*

Petrisen: *Perdix perdix; Partridge*

Pibydd coesgoch: *Tringa totanus; Redshank*

Pidyn y gog: *Arum maculatum; Lords and ladies*

Pinwydden yr Alban: *Pinus sylvestris; Scots pine*

Pioden: *Pica pica; Magpie*

Pioden y môr: *Haematopus ostralegus; Oystercatcher*

Pry cop: *Aranea diadema; Garden spider*

Pryfet gwyllt: *Ligustrum vulgare; Wild privet*

Pryfet yr ardd: *Ligustrum ovalifolium; Garden privet*

Pryf teiliwr: *Tipula paludosa; Daddy long legs*

Pys llygod: *Viccia cracca; Vetch*

Robin goch: *Erithacus rubecula; Robin*

Robin sbonc: *Chorthippus parallelus; Meadow grasshopper*

Rhedyn cefngoch: *Ceterach officinarum; Rustyback*

Rhedyn ungoes: *Pteridium aquilinium; Bracken*

Rhosyn draenllwyn: *Rosa pimpinellifolia; Burnet rose*

Rhosyn gwyllt: *Rosa canina; Dog rose*

Rhosyn gwyn gwyllt: *Rosa arvensis; Trailing rose*

Rhygwellt: *Lolium perenne; Perennial ryegrass*

Saethbennig arfor: *Triglochin maritima; Sea arrowgrass*

Saffrwm: *Crocus vernus; Spring crocus*

Seren fôr: *Asterina phylactica; Starfish*

Seren y gwanwyn: *Scilla verna; Spring squill*

Siglen fraith: *Motacilla alba; Pied wagtail*

Slefren fôr: *Rhizostoma pulmo; Jelly fish*

Socan eira: *Turdus pilaris; Fieldfare*

Sosin bach glas: *Muscari armeniacum; Grape hyacinth*

Spriwsen Norwy: *Picea abies; Norway spruce*

Suran y coed: *Oxalis acetosella; Wood-sorrel*

Taglys mawr: *Calystegia sepium; Hedge bindweed*

Tamaid y cythraul: *Succisa pratensis; Devil's-bit scabious*

Tafod y gors: *Pinguicula vulgaris; Butterwort*

Tafod yr hydd: *Phyllitis scolopendrium; Hart's-tongue*

Taten: *Solanum tuberosum; Potato*

Tegeirian brych cyffredin: *Dactylorhiza fuchsii; Common spotted-orchid*

Tegeirian coch: *Orchis mascula; Early purple orchid*

Tegeirian rhuddgoch: *Dactylorhiza incarnata; Early marsh orchid*

Tegeirian rhuddgoch culddail: *Dactylorhiza traunsteineri; Narrow-leaved marsh orchid*

Tegeirian y pryfyn: *Ophrys insectifera; Fly orchid*

Telor yr hesg: *Acrocephalus schoenobaenus; Sedge warbler*

Titw mawr: *Parus major; Great tit*

Titw tomos las: *Parus caeruleus; Blue tit*

Tiwlip: *Tulipa; Tulip*

Torthau'r tylwyth teg: *Hypholoma fasiculare; Sulphur tuft*

Tresgl y moch: *Potentilla erecta; Tormentil*

Tresi aur: *Laburnam anagyroides; Laburnam*

Triaglog coch: *Centranthus ruber; Red valerian*

Troellwr bach: *Locustella naevia; Grasshopper warbler*

Turtur dorchog: *Streptopelia decaocto; Collared dove*

Twrch daear: *Talpa europaea; Mole*

Tylluan frech: *Strix aluco; Tawny owl*

Tylluan wen: *Tyto alba; Barn owl*

Udfil: *Hyaena; Hyena*

Ydfran: *Corvus frugilegus; Rook*

Ysbwng: *Halichondria; Sponge*

Ysgawen: *Sambucus nigra; Elder*

Ysgyfarnog: *Lepus europaeus; Brown hare*

Ystlum: *Bat*

Ywen: *Taxus baccata; Yew*